村上春樹 翻訳ライブラリー

頼むから静かにしてくれ I

レイモンド・カーヴァー

村上春樹 訳

中央公論新社

目次

テスに　一九八八年六月十七日

頼むから静かにしてくれ Ⅰ

でぶ

Fat

私は友達のリタの家でコーヒーを飲み、煙草を吸いながら、彼女にその話をする。

こんな話だ。

ハーブがそのでぶ男を私の担当テーブルに案内したのは、暇な水曜日の遅くのことだ。

こんなに太った男を見るのは初めてだ。でも小ぎれいな見かけだし、服装も上等である。男の体は何もかもが大きく作られているが、私がとりわけよく覚えているのはその指だ。彼の席の近くに座っていた老夫婦の給仕をしに行くときに、まず私の目についたのが指である。普通の人間の指の三倍くらいはありそうだ。長くて、太くて、艶がある。

私は他のテーブルの給仕をする。四人づれのビジネスマン、あれこれと文句の多い連中だ。四人づれがもう一組、こっちは男が三人と女がひとりだ。それからその老夫婦。リアンダーがでぶ男のグラスに水を注ぐ。私はでぶ男に注文を決める時間をたっぷり与える。それから彼のところに行く。

今晩は、と私は言う。御注文を承りましょうか？

ねえリタ、その人って大きいのよ。とてつもなく大きいの。

今晩は、と彼は言う。ハロー。うん、いいですよ、私どもは注文できると思う。その人ってそういう喋りかたをするわけ。ねえ、ちょっと変でしょう？　そしてしょっちゅうプフッていう、息を吐くような小さな音を立てるわけ。

私どもはまずシーザー・サラダをいただくことにしよう、と彼は言う。それからスープをボウルでもらって、エクストラのパンとバターをいただきたいですな。ラム・チョップなんぞはよろしいな、と彼は言う。それからサワー・クリームをかけたベイクト・ポテト。デザートのことはそのあとで考えましょう。ありがとう、それだけお願いします、と彼は言う。そう言って彼はメニューを返す。

それでねリタ、その指がもうとてつもないのよ。

私は急いでキッチンに行って、ルーディにオーダーを通す。彼はしかめ面でそれを受ける。あなたルーディのこと知ってるでしょう。ルーディは仕事をしているときはいつもそんな風なのよ。

キッチンから出るとマーゴがいて——マーゴのことは話したっけ？　ルーディにモ

ーションをかけてる子よ。マーゴが私にこう言うの、あのふとっちょのお友達は誰なの？　すげえでぶじゃない。

それも関係あるのよ。うん、すごく関係あると思うんだ。

私は彼のテーブルでシーザー・サラダを作る。彼は私の動作のひとつひとつをじっと見ている。パンをちぎってバターを塗ったり、それを脇の方にどけたりしながら。そしてそのあいだじゅう例のプフップフッという音を立てている。きっと緊張していたのだろう、とにかく私はテーブルの上の水のグラスを引っくり返してしまう。

申し訳ありません、と私は言う。まったく忙しいときに限ってこういうことをやってしまうんです。本当にごめんなさい、と私は言う。大丈夫ですか？　すぐにボーイを呼んでかたづけさせますから、と私は言う。

何でもありませんとも、と彼は言う。大丈夫ですよ、と彼は言う。そしてプフッて音を立てる。気にせんでいいです、私どもはそんなことかまわんですから。彼はにっこり笑って、リアンダーを呼びに行く私に手を軽く振る。そして私がサラダを給仕しようとテーブルに戻ったとき、そのでぶ男はもうパンとバターをぺろっと平らげてしまっている。

少しあとで、パンのおかわりを持っていったとき、サラダは既になくなっていた。あなた知ってるでしょ、あのシーザー・サラダどれくらい量があるか。

どうもありがとう、御親切に、と彼は言う。このパンはまことに素晴らしいですな。おそれいります、と私は言う。

うん、いや実に美味い、と彼は言う。お世辞じゃありませんよ。こういうおいしいパンにはなかなかお目にかかれませんな、と彼は言う。

どちらからお越しになったんでしょうか、と私は尋ねる。この店でお見掛けするのは初めてだと思うんですが。

そんな人、一度見たら忘れっこないものねえ、とリタがくすくす笑いながら口をはさむ。

デンヴァーですよ、と彼は言う。

私はその話はそれで切りあげる。もっと聞きたいことはあったんだけど。

スープをすぐに持って参ります、と私は言う。そして四人づれのこうるさいビジネスマンのテーブルに行って、最後のしあげをする。

スープを運んでいくと、パンはまた全部なくなってしまっている。彼はちょうど最後のひとかけを口に入れているところだ。

本当の話、と彼は言う。私どもはいつもいつもこんなにいっぱいパンを食べるわけではありません。そしてまたプフッ。なんともはや申し訳ありませんねえ、と彼は言う。

どうぞ御遠慮なく、と私は言う。男の方がたくさん召し上がるのを見るのはいいものですわ、と私は言う。

どうですかな、と彼は言う。そう言っていただけるのはありがたいですが。そしてプフッ。ナプキンを膝に敷いて、それからスプーンを手に取る。

まったく、すごいでぶだよね、とリアンダーが言う。

あの人だって好きで太ってるわけじゃないんだから、余計なことは言わないの、と私は言う。

バスケットに入れたパンのおかわりとバターを持っていく。スープはいかがでしたか？

ありがとう、おいしかったですよ、と彼は言う。とてもおいしかった。彼は唇を拭い、顎をとんとんと叩くように拭く。ねえこの店の中は暑いですかね、あるいは暑いのは私だけなのかな？　と彼は言う。

いいえ、店の中はたしかに暑いですわ、と私は言う。

こいつは上着を脱いだ方がよさそうですな、と彼は言う。

どうぞお脱ぎください、と私は言う。お楽になさるのがいちばんですから。

そのとおり、と彼は言う。まさにまさにおっしゃるとおりですよ、と彼は言う。

でも少したって行ってみると、まだ上着を着たままだった。

私の受け持っていた団体のお客はもう帰ってしまっていた。老夫婦もいなくなっていた。店はもうすっかりがらんとしている。私がそのでぶ男にチョップとベイクト・ポテトと、おかわりのパンとバターを持っていく頃には、店に残っている客は彼ひとりだけだった。

私は彼のポテトにたっぷりとサワー・クリームをかけてあげる。ベーコンと香草をサワー・クリームの上に散らす。彼のところにもっとパンとバターを持っていく。

料理はいかがですか？　と私は尋ねる。

結構ですよ、と彼は言う。そしてプフッと音を立てる。素晴らしいですよ、ありがとう、と言う。そしてまたプフッと音を立てる。

ごゆっくりお召し上がりください、と私は言って、砂糖入れの蓋を開け、中をのぞく。彼は肯《うなず》いて、私が行ってしまうまで、私のことをじっと見つめている。

今では私にも、自分が何かを求めていたことがわかっている。でも何を求めていたのか、それはわからない。

あのでぶ公のおっさん、どう？　あんたずいぶんバタバタこきつかわれてるみたいじゃないの、とハリエットが言う。あなたハリエットのこと知ってるわよね。

デザートですが、と私はそのでぶ男に言う。グリーン・ランタン・スペッシャルというのがございます。これはプディング・ケーキにソースをかけたものです。その他にはチーズ・ケーキか、ヴァニラ・アイスクリームか、パイナップル・シャーベットというところです。

ひょっとしてもう閉店の時間なんじゃないんですかね、と彼は言う。プフッと音を立てて、心配そうな顔つきで。

そんなことありません、大丈夫です、と私は言う。どうぞごゆっくり考えてください、と私は言う。お決めになっているあいだにコーヒーのおかわりをお持ちしますわ。

ここはひとつありていに申せばですな、と彼は言う。そして椅子の中で体を動かす。私どもはスペッシャルをいただきたい。しかしそれに加えてヴァニラ・アイスクリームの方もいただけるんじゃないかと思うのです。それからもしよろしければ、そこにちびっとだけチョコレート・シロップをたらしていただきたいですな。いやいや、どうもこれはずいぶん腹を減らしていたというべきですな、と彼は言う。

私はキッチンに行って、自分でデザートを用意する。するとルーディがこう言う、サーカスのでぶ男を受け持ってるってハリエットが言ってたけど、それ本当かよ？ルーディったらもう帽子とエプロンを取っちゃってるのよ、まったくねえ。ねえルーディ、あの人はたしかに太ってるわよ、と私は言う。でもそれだけで人を見ちゃいけないわ。

ルーディはただ笑うだけ。

おいおいでぶのことになるとやけに親切じゃないか、と彼は言う。

気をつけた方がいいわよルーディ、とキッチンに入ってきたばかりのジョアンが言う。

俺、ホントやきもち焼いちゃうよな、とルーディがジョアンに言う。

私はスペッシャルを太った男の前に置く。チョコレート・シロップを添えたヴァニラ・アイスクリームの大きなボウルを脇に置く。

どうもありがとう、と彼は言う。

どういたしまして、と私は言う。そしてある感情が私を支配する。

信じてもらえないかもしれませんが、と彼は言う。私どもはいつもこんな風にいっぱい食べるわけではないのです。

私なんかずいぶん食べるのに、どれだけ食べても太らないんですよ、と私は言う。一度太ってみたいものだわ。

いいや、と彼は言う。私どもにもし選ぶことができますなら、答えはノオですな。しかし選ぶことはできんのです。

そして彼はスプーンを手に取って食べはじめる。

それから？　とリタが言う。彼女は私の煙草を一本取って火をつけ、椅子をテーブルの方に寄せる。その話、だんだん面白くなってきたわ、とリタは言う。

それだけよ。それでおしまい。彼はそのデザートを食べて、店を出ていく。そのあと私たち家に帰るの。ルーディと私とで。

すげえでぶだったなあ、とルーディはいかにも疲れたという格好でのびをしながら言う。そしてははは と笑って、またテレビを見る。

私はお茶を飲もうと湯を沸かし、シャワーに入る。そしてお腹に手を置き、ふとこう思う。もし私に子供が生まれて、その子供のひとりがあんな風だったら、あんなにでぶだったりしたら、いったいどういうことになるかしら？

私はポットに湯を注ぎ、カップと砂糖ポットとクリームのカートンを用意し、そのトレイをルーディのところに持っていく。まるでずっとそのことを考えていたみたいに、ルーディはこう言う、俺は子供の頃ひとりでぶ公を知ってた、いやふたりばかり知ってたよ。すごいでぶだった。ホントにぽちゃぽちゃなんだ。俺はそいつらの名前を思い出すことができない。ひとりの子供は、でぶという名前しか持たなかった。俺たちはそいつをでぶって呼んだ。うちの隣に住んでたやつさ。近所の子だったんだ。もうひとりとはもっとあとで知り合ったやつだ。そいつの名前はよたよたって言った。教師を別にすれば、誰もがそいつのことをよたよたと呼んだ。よたよたとでぶだ。そいつらの写真を見せてやりたいよ、まったく、とルーディは言う。

　私は何を言えばいいのか思いつけない。我々はお茶を飲み、じきに私は立ち上がってベッドに行く。ルーディも立ち上がって、テレビを消し、玄関のドアの鍵を閉め、服を脱ぎ始める。

　私はベッドに入り、ずっと端っこの方に寄って、うつぶせになる。でも間を置かず、電灯を消してベッドにもぐりこむやいなや、ルーディはことに取り掛かる。私は気が進まないけれど、それでも仰向けになって体の力を少し抜く。でもそのときにそれが起こる。彼が私にのしかかるとき、私は突然自分がでぶになったように感じる。ものすごくでぶになったような気がするのだ。ルーディはどんどん小さくなり、ほとんど存在も認められないくらいになる。

面白い話ねえ、とリタは言う。でもそれをどうとらえたらいいのか、戸惑っていることが私にはわかる。

私は気持ちが落ち込んでくる。でもこれ以上彼女にこの話はしない方がいい。すでに私は喋りすぎているのだ。

彼女はそのままじっと待っている。彼女は華奢な指先を髪の中に突っ込んでいる。いったいいいいいいい何を待っていいいいいるのだろう、私はそれが知りたい。

今は八月だ。

私の人生は変化しつつある。私にはそれが感じられるのだ。

隣人

Neighbors

ビルとアーリーンのミラー夫妻は幸福なカップルだった。しかし二人には時折、何となく自分たちだけが仲間うちで取り残されているのではないかと感じることがあった。ビルが簿記の仕事にせっせと励み、アーリーンが細々した秘書の雑用をこなしている間に。時々二人はそれについて話し合ったが、そのたびにだいたいいつも外に彼らの隣人であるハリエットとジムのストーン夫婦の生活がひきあいに出された。二人の目から見ると、ストーン家の二人は自分たちとは違って、ずっと充実した輝かしい人生を送っているように思えた。ストーン夫妻はいつも外に夕食を食べに行ったり、家に客を呼んだり、ジムの仕事がらみで国中を旅行してまわったりしていた。

ストーン夫妻は廊下をはさんだ彼らの向かいの部屋に住んでいた。ジムは機械部品会社のセールスマンで、しばしば仕事と遊びの旅行を結びつけていたが、今回二人は十日ほど家を空けることになっていた。まずシャイアンに行って、その足でセント・ルイスにいる親戚を訪ねるのだ。二人が留守のあいだミラー夫婦はストーン夫婦のアパートの世話をし、猫のキティーに餌を与え、植木に水をやることになっていた。

ビルとジムは車の脇で握手をした。ハリエットとアーリーンは手で互いの肘をつかんで唇に軽くキスをした。

「楽しんでおいでよ」とビルはハリエットに言った。

「有り難う」とハリエットは言った。「あなたたちも楽しくやってね」

アーリーンは肯いた。

ジムは彼女にウィンクした。「じゃあね、アーリーン。旦那を大事にね」

「うん、わかってる」とアーリーンは言った。

「楽しんできなよ」とビルは言った。

「ばっちり楽しんでくるさ」とジムは言って、ビルの腕を軽くつかんだ。「ほんとに有り難う、君たち」

ストーン夫婦は車を走らせながら手を振った。ミラー夫婦も手を振った。

「俺たちもああいう立場になりたいもんだな」とビルは言った。

「私たちだっていいかげん休暇取りたいわよね」とアーリーンは言った。そして彼の腕をとって自分の腰に回し、アパートの階段を登った。

夕食のあとでアーリーンが言った。「あなた、ちゃんと覚えてる？ キティーは最初の夜はレバー味のキャット・フードを食べるのよ」彼女は台所の入口に立って、ハンド・メイドのテーブル・クロスを畳んでいた。それは昨年ハリエットがサンタフェの土産に買ってきてくれたものだった。

ストーンの部屋に入るとビルは深く息を吸い込んだ。空気はすでにどんよりとして、そこはかとない甘さが感じられた。テレビの上の日輪型の時計が八時半を示していた。ハリエットがその時計を手に帰宅してきたときのことを彼は覚えていた。真鍮のケースをまるで赤ん坊をあやすみたいに両腕に抱え、薄い包装紙越しにそれに向かって何か話しかけながら、ハリエットが廊下を越えてアーリーンにそれを見せに来たときのことを。

キティーは彼のスリッパに顔をこすりつけ、それからごろんと横になった。しかしビルが台所に行ってぴかぴかの水切り板の上に積みあげてある缶の中からひとつを選んでいるとぱっと飛びおきた。猫に餌を食べさせておいて彼はバスルームに行った。そして鏡に映った自分の顔をじっと見た。両目を閉じ、また開けた。それから薬品戸棚を開けて薬の瓶をひとつみつけた。ラベルには「ハリエット・ストーン、一日一錠、指示どおりに服用のこと」と書いてあった。彼はそれをポケットにつっこんだ。台所にもどって水差しに水を汲み、居間にいった。植木に水をやりおえると水差しを絨毯の上に置いて、酒を入れてあるキャビネットを開け、奥の方にあるシーヴァス・リーガルを取り出した。そして瓶からそのままふたくち飲み、袖で口を拭い、瓶をキャビネットに戻した。

キティーは長椅子に横になって眠っていた。彼は明かりを消し、そっとドアを閉め、鍵のかかっていることを確認した。何か忘れものをしてきたような気がした。

「ずいぶん時間かかったじゃない」とアーリーンが言った。彼女は両脚を膝の下に折り畳むようにしてテレビを見ていた。

「何でもないよ。キティーと遊んでたのさ」と彼は言って体を寄せ、彼女の胸に手を触れた。

「ベッドに行こう、ハニー」と彼は言った。

翌日ビルは二十分と決まっている午後の休みを十分にして、そのかわり五時十五分前に職場を離れた。駐車場に車を停めると、ちょうどアーリーンがバスから降りてくるところだった。彼女が建物の中に入るまで待って、階段を駆け上がり、エレベーターから出てくるところを捕まえた。

「ビル、びっくりするじゃない。早かったのね」

彼は肩をすくめた。「仕事にきりがついて、やることがなくなっちゃったもんでね」

彼はアーリーンの鍵を使ってドアを開けた。彼女のあとから部屋に入る前に向かいの部屋の扉に目をやった。

「ベッドに行こうぜ」と彼は言った。

「今から？」と言って彼女は笑った。「あなたいったいどうしたのよ？」

「何もないよ。さ、服脱ぎなよ」彼はぎこちなく手を伸ばして妻の体をつかんだ。

「参ったわね」と彼女は言った。

彼はズボンのベルトを外した。

あとで二人は中華料理の出前をとった。料理が届くと口もきかずにがつがつと食べ、そのあとレコードを聴いた。

「キティーに餌やるのをわすれないようにしなくちゃね」と彼女が言った。

「まさにそのことを考えていたところさ」と彼は言った。「今行ってくるよ」

彼は魚味の缶詰を選び、水差しに水を汲んで植木に注いだ。台所に戻ると猫がこりこりと便所の箱の中でひっかいていた。猫はしばらく彼の顔を眺めてから、また砂の中に戻った。彼は戸棚を全部開けて、中にある缶詰やらシリアル食品やらパッケージ食品やらカクテル・グラスやらワイン・グラスやら陶器やら鍋かま類を全部点検した。冷蔵庫も開けた。セロリの匂いをちょっとかぎ、チェダー・チーズをふたくち齧り、林檎を食べながらベッドルームに行った。ベッドはすごく大きく見えた。ふわふわした白い上掛けが床まで垂れていた。ベッドサイドの机の引き出しを開けると半分空になった煙草の箱がみつかったので、それをポケットに入れた。それからクローゼットの方に行って扉を開けかけたところで、玄関にノックの音が聞こえた。

そちらに行く途中、バスルームに寄って水を流した。

「いったい何してんのよ?」とアーリーンが言った。「あなたもう一時間以上もここにいるのよ」

「そんなに?」

「そんなによ」

「便所に行きたくなってさ」と彼は言った。

「自分の家で入りゃいいでしょう」と彼女は言った。

「我慢できなかったんだよ」

その夜二人はもう一度セックスをした。

翌朝彼はアーリーンに病欠の電話をかけてもらった。彼はシャワーを浴び、服を着替えて、軽い朝食を作った。本を読み始めようと試みた。外に出て散歩すると気分は良くなったが、しばらくすると両手をポケットに突っ込んだまま帰宅した。ストーン家の扉の前で、猫の動きまわる音が聞こえないものかと耳を澄ませてみた。それから自分の家に入り、台所に行って鍵を手に取った。

中に入るとそこは彼のアパートの部屋より涼しく、またうす暗く感じられた。鉢植えのあるせいで温度が違うのかなと考えてみたりもした。彼は窓の外に目をやり、部屋から部屋へと歩き、目に触れるものひとつひとつを子細に検分した。一度にひとつずつじっくりと。灰皿を眺め、家具を眺め、調理用具を眺め、時計を眺めた。何もかもを見た。最後にベッドルームに入ると、猫が足もとにやってきた。彼は猫を一度撫でて、抱き上げてバスルームに連れていき、中に入れてドアを閉めた。

彼はベッドに横になり、天井をじっと見つめた。しばらく目を閉じてそのまま横になっていたが、やがて手をズボンの中に入れた。今日は何日だっけなと彼は考えた。ストーンの夫婦はいつ帰ってくるんだっけな？　彼らは本当に戻ってくるのだろうか？　と彼は思った。二人の顔つきや、話し方や、着ている服なんかが全然思い出せなかった。彼は溜め息をつき、よっこらしょと転がるようにベッドから下り、ドレッサーの前に屈み込んで、鏡に映った自分の顔を眺めた。

彼はクローゼットを開けてアロハ・シャツを選んだ。きちんとアイロンをかけられてあや織りの茶色のズボンの上に吊るされているバーミューダ・ショーツもみつけた。彼は自分の服を脱ぎ捨て、そのシャツとショーツを着込んだ。そしてまた鏡の前に立った。それから居間に行ってグラスに酒を注ぎ、それをすすりながらベッドルームに戻ってきた。青いシャツとダークスーツを着て、青と白のネクタイをしめ、黒ウィングチップの革靴をはいた。グラスが空になったのでおかわりを注ぎに行った。

またベッドルームに戻ると、彼は椅子に座って脚を組み、にっこりと微笑んで鏡に映った自分の姿を見た。電話のベルが二回鳴って、鳴り止んだ。彼は酒を飲んでしまうとスーツを脱いだ。一番上の引き出しを物色して、パンティーとブラジャーをみつけた。彼はパンティーをはき、ブラジャーのホックをとめ、それからクローゼットを開けて上に着るものを探した。白と黒の格子柄のスカートを選んで、ジッパーを上げようと試みた。前開きのバーガンディー色のブラウスを着た。靴のことも考えてみたが、サイズが合うわけがないと思ってやめた。彼はカーテンの背後から、長いあいだ居間の外を見ていた。そのあとベッドルームに戻って全部片づけた。

彼は腹が減っていなかったし、彼女もあまり食べなかった。でも二人は恥ずかしそうにみつめあい、微笑んだ。彼女はテーブルから立ち上がり、棚の上に鍵があることを確かめ、それからさっさと食器を洗った。

彼は台所の入口に立って煙草を吸い、彼女が鍵を取り上げるのを見ていた。

「私が行ってくるからあなたは休んでいて」と彼女は言った。「新聞でも読んでなさいな」彼女は鍵を手で包んだ。あなた疲れているみたいだから、と彼女は言った。

彼はニュースに神経を集中しようとした。新聞を読み、テレビをつけた。それからとうとう我慢できなくなって廊下の向かい側に行ってみた。ドアには鍵がかかっていた。

「どうした、まだそこにいるのか、ハニー?」と彼は声をかけた。

ややあってドアが開き、アーリーンが外に出てドアを閉めた。「そんなに長くここにいたかしら?」

「うん、ずいぶん」

「あら、そう」と彼女は言った。「キティーと遊びすぎたみたいね」

彼は妻の表情を探ったが、彼女は目をそらせた。彼女の手はまだドアノブの上に置かれていた。

「ねえ、変な感じよね、こんな風に他人の家に入るのって」と彼女は言った。

彼は肯いてノブの上の彼女の手を取り、自分たちのドアに導いた。そして二人で中に入った。

「変な感じだ」と彼は言った。

彼は妻のセーターの背中に白い糸屑がついているのを目にとめた。その頰は赤く染まっていた。彼は彼女の首筋と髪にくちづけし、彼女も振り向いてキスを返した。

「あら、嫌だ」と彼女が言った。「嫌だ、嫌だ」と唄うように言って、子供っぽく両手をぱちぱちと叩いた。「今思い出したわ。肝心な用事をすっかり忘れてた。キティーに餌もやらなかったし、植木に水もやらなかった」そして彼の顔を見た。「馬鹿ね、私って」

「そんなことないさ」と彼は言った。「ちょっと待って。今煙草持ってくるから一緒に行こう」

彼が自宅のドアを閉めて鍵をかけるのを彼女は待っていた。それから彼の腕の筋肉の盛り上がったところを取った。「ねえ、言っちゃった方がいいと思うんだけれど、私写真を何枚かみつけたの」

彼は廊下の真ん中で立ち止まった。「どんな写真？」

「自分で見てよ」と彼女は言って、彼の顔を見た。

「参ったね」と言って彼はにやっと笑った。「どこにあったの?」

「引き出しの中」と彼女は言った。

「参ったね」と彼は言った。

それから彼女はこう言った、「あの人たち帰ってこないかもしれないわよ」そしてそう口にした途端に自分の言葉にびっくりしてしまった。

「そうかもしれない」と彼は言った。「何が起こるかは誰にもわからない」

「あるいはあの人たち帰ってくるかもね、そして……」しかし彼女はそこで言葉を切った。

二人は廊下を横切るちょっとのあいだ、じっと手を握りあっていた。彼が何か言ったとき、彼女はほとんど何も聞き取れなかった。

「鍵だよ」と彼は言った。「鍵をくれよ」

「えっ」と彼女は言ってじっと扉を見つめた。

「鍵。君が鍵持ってるんだろう?」

「どうしよう」と彼女は言った。「私、中に忘れてきちゃった」

彼はノブを試してみたが、ロックされていた。次に彼女が試してみたが、やはりノブは回らなかった。彼女の唇はかすかに開き、その息づかいは何かを予期しているみたいに激しくなっていた。彼が両手を広げると、彼女はその中にもたれこんだ。

「大丈夫だよ」と彼は妻の耳に向かって囁いた。「大丈夫だから、安心しなよ」

二人はそこにじっとしていた。そして抱き合っていた。彼らはまるで風に抗するように扉にもたれかかり、互いを抱きしめていた。

人の考えつくこと

The Idea

我々は夕食を終え、私は明かりを消した台所のテーブルに座って、一時間前からずっと外を見ていた。もし今夜彼があれをやるつもりなら、そろそろとりかかる時刻だった。その時刻は既に過ぎていた。これで三晩も彼の姿を見ていなかった。でも今夜、ベッドルームのシェードはあがっていたし、明かりもこうこうと点いていた。

今夜こそという雰囲気があった。

そして私は彼の姿を目にした。彼は網戸を開け、Tシャツとバーミューダ・ショーツかあるいは水着みたいなものという格好で裏のポーチに現れた。一度ぐるっとあたりを見回し、ポーチから陰のなかにひょいと飛び下りた。そして家の脇に沿って進みはじめた。彼の足どりは素早かった。気をつけて見ていなかったら、まず目につくことはないだろう。彼は明かりの点いた窓の前で止まって、中を覗き込んだ。

「ヴァーン」と私は呼んだ。「ヴァーン、早く来なさいよ！　あいつがいるわよ。早く、急いで！」

ヴァーンは居間のテレビをつけっぱなしにして新聞を読んでいた。彼が新聞を放り出す音が聞こえた。

「見つからないようにしろよ」とヴァーンは言った。「あまり窓の近くに寄るんじゃないぞ」

ヴァーンはいつもそう言う——あまり窓の近くに寄るんじゃないぞ、と。ヴァーンはそれを見ることをいささか恥ずかしく思っているのだと思う。でも内心では楽しんでいることを私は知っている。本人がそう言ったのだ。

「明かりを消しているから、私たちのことは見えやしないわよ」といつも私は言う。これが三ヵ月のあいだ続いている。正確に言うなら、九月の三日以来だ。とにかくその日の夜に、私は初めてその男の姿を目にした。どれくらい前からそれが行われてきたのか、見当もつかない。

その夜、私はもう少しでシェリフに電話をかけるところだった。しかし男が誰だかわかったので、電話はかけなかった。どういうことなのかヴァーンに事情を説明してもらわなくてはならなかった。そして説明してもらったあとでも、それを飲み込むのに少し時間がかかった。彼がそのような真似に及ぶのはだいたい二日か三日に一度というところだった。もっと数が多いこともある。雨の夜に見かけることもある。というか、雨が降っていればまず見かけると言っていいだろう。でも今夜はよく晴れて、風も強いし、月も出ている。

我々は窓際に膝をついた。ヴァーンは咳払いをした。

「奴を見ろよ」とヴァーンは言った。煙草を吸い、必要があれば手のひらに灰を落とした。吸い込むときは煙草を窓から離した。ヴァーンは四六時中煙草を吸っている。煙草なしではいられないのだ。眠るときでさえ枕もと十センチ以内のところに灰皿を置いている。私が夜中に目を覚ますと、彼も起きて煙草を吸う。

「まったくもう」とヴァーンは言う。

「他の女の持ってない何を、あの女が持っているっていうのよ？」と少しあとで私はヴァーンに向かって言った。私たちは床にうずくまって、頭だけを窓枠の上に出している。そして自分の家のベッドルームの窓の前に立ち、中を覗き込んでいる男の姿を見ていた。

「そこがミソなんだよ」とヴァーンは言った。私のすぐ耳もとで彼は咳払いをした。

我々はそのままじっと見物を続けた。

誰かがカーテンの向こうにいるのがわかった。彼女が服を脱いでいるのに違いない。でも細かいところは見えなかった。私は目を凝らした。ヴァーンは読書用の眼鏡をかけていたので、私よりはよくものを見ることができた。突然カーテンがさっと開けられ、その女は窓に背中を向けた。

「女は何をしているの？」と私は尋ねた。尋ねるまでもなかったのだけれど。

「やれやれ」とヴァーンは言った。

「彼女は何をしているの、ヴァーン？」と私は言った。

「服を脱いでいる」とヴァーンは言った。「他に何をするっていうんだよ、いったい」

それからベッドルームの明かりが消え、男は家の脇に沿って戻ってきた。そして網戸を開け、身を中にもぐりこませた。ほどなく残っていた明かりも全部消えた。

ヴァーンは咳をした。何度も。そして首を振った。私は明かりを点けた。ヴァーンはそこに膝をついたままじっとしていた。それから立ち上がって煙草の火を点けた。

「私いつかあのろくでもない女に言ってやるわ。私が彼女のことをどう思っているか」と言って私はヴァーンの顔を見た。

ヴァーンは微かに笑った。

「本気なんだから」と私は言った。「いつかマーケットであの女に会ったら、面と向かって言ってやるんだ」

「俺ならそんなことはしないね。そんなことをして何になる？」とヴァーンは言った。でも私が本気で言ってるとは、彼は思っていない。それは私にもわかる。彼は眉をしかめ、じっと自分の手の爪を見ていた。口の中で舌を転がし、目を細めていた。意識を集中しているときの彼の癖だ。それから表情が変わった。ぽりぽりと顎を掻いた。

「まさか本当にはやらないよな」と彼は言った。

「どうでしょうね」と私は言った。

「まったくもう」とヴァーンが言った。

私は彼のあとについて居間に行った。我々の気は高ぶっていた。いつもきまってそんな感じになるのだ。

「まあ今にわかるわよ」と私は言った。

ヴァーンは大きな灰皿の中で煙草をこすって消した。そして自分用の革の椅子の脇に立って、ちょっとテレビを見た。

「ロクな番組がないな」と彼は言った。それからべつのことを口にした。「おそらくあいつにとってはそこに何かがあるのかもしれない」ヴァーンは新しい煙草に火を点けた。「どうなんだろうな」

「窓から私のことを覗くような奴がいたら、即刻警察を呼んでやるわ」と私は言った。

「相手がケイリー・グラントなら話はべつだけどね」

ヴァーンは肩をすくめた。「どうだろうな」と彼は言った。

私は空腹だった。台所の戸棚を覗いてみた。それから冷蔵庫を開けた。

「ヴァーン、何か食べたくない?」と私は声をかけた。

返事はなかった。バスルームで水の流れる音が聞こえた。でも彼も何か食べたがるかもしれないと私は思った。夜中のこの時刻になると、我々はだいたいおなかが減るのだ。私はパンとランチミートをテーブルの上に出し、スープの缶を開けた。クラッカーとピーナッツ・バターを出し、冷たいミートローフを出し、ピクルスとオリーヴとポテトチップを出した。それだけそっくりテーブルの上に並べた。それから私はアップル・パイのことを思い出した。

ヴァーンがローブとフランネルのパジャマという格好で現れた。髪が濡れて、頭の後ろにぺったりと張りついていた。そして化粧水の匂いがした。彼はテーブルの上に並んだものを見た。「ブラウン・シュガーをまぶしたコーンフレークなんてどうだい?」と彼は言った。それから腰を下ろして、自分の皿のとなりに新聞を広げた。

我々はその夜食を食べた。灰皿はオリーヴの種と彼の煙草の吸殻とでいっぱいになった。

食べ終えるとヴァーンはにやっと笑ってこう言った。「この素敵な匂いはいったい何なのかな？」

私はオーヴンの前に行って、アップル・パイをふた切れ取り出した。パイの上にはとろけたチーズが載っていた。

「美味そうじゃないか」とヴァーンは言った。

ほどなく彼は言った、「俺にはもう食えないよ。そろそろ寝るとしよう」

「私ももう寝るわよ」と私は言った。「テーブルをかたづけちゃうから」

皿の上の残飯をごみ箱に捨てているときに私は蟻の姿を目にした。私は顔を近づけてみた。蟻たちは流し台のパイプの下のどこかから上がってくるようだった。彼らは列をなしていた。ごみ箱の一方の側から蟻たちは登ってきて、もう一方の側から降りていった。上りと下りだ。私は引き出しの中からスプレイを出して、ごみ箱の中と外にそれを吹きかけた。流し台の下の、手が届くかぎり奥の方にも吹きかけた。それから手を洗い、最後にもう一度ぐるりと台所の中を見回した。

ヴァーンは眠っていた。いびきをかいていた。一、二時間したら彼は目覚めて便所に行き、そして煙草を吸うことだろう。足もとの小型のテレビはついていたが、画像は上下に流れていた。

私はヴァーンに蟻の話をしたかったのだ。

時間をかけてゆっくり私は寝支度をした。画像を調整し、ベッドにもぐりこんだ。ヴァーンは眠ったまま、もぞもぞと何かを言った。

私はしばらくテレビを見ていた。でもそれはトーク・ショーで、私はトーク・ショーというものがあまり好きではない。私はまた蟻のことを考えはじめた。

そのうちに家中が蟻でいっぱいになるところを私は想像した。ヴァーンを起こして悪い夢を見たのよと言おうかとも思った。でもそうはせずに、ベッドを出てスプレイ缶を取りに行った。もう一度流し台の下を見たが、蟻は一匹も残っていなかった。私は家の中の明かりを全部点けた。家の中は真昼のように明るくなった。

私はスプレイを吹きかけ続けた。

最後に私は台所のシェードを上げ、外を見た。時刻はもう遅かった。風が吹いていて、木の枝が揺れるかさかさという音が聞こえた。

「最低の女」と私は言った。「まったくなんてことを思いつくんだろう」

私はもっと汚い言葉も口にした。ここで繰り返すことができないような言葉を。

そいつらはお前の亭主じゃない

They're Not Your Husband

アール・オーバーはセールスマンだったが、このところ職にあぶれていた。でも妻のドリーンが町はずれにある二十四時間営業のコーヒーショップで夜番のウェイトレスをやっていた。ある夜、酒を飲んでいるうちに、アールはそのコーヒーショップに寄って何か食べてみようと思った。ドリーンが働いているところをちょっと見てみたかったのだ。それにうまくいけば何かただで食べさせてもらえるかもな、とも思った。

彼はカウンターに座ってメニューを眺めた。

「あんた何しに来たのよ、いったい？」とドリーンは、夫がそこに座っているのを見て言った。

彼女はコックに注文票を渡した。「何を注文するのよ、アール」と彼女は言った。「子供たちは大丈夫なの？」

「問題ない」とアールは言った。「俺、コーヒーとこのナンバー・ツーっていうサンドイッチがいいな」

ドリーンは注文を紙に書いた。

「これうまくやれないかな、ほら、わかるだろ？」と彼は言ってウィンクした。

「駄目」と彼女は言った。「今話しかけないでよね。忙しいんだから」

アールはコーヒーを飲みながら、サンドイッチが来るのを待った。ネクタイを緩め、シャツの襟を開けた二人のサラリーマン風の男が彼の隣の席に座り、コーヒーを注文した。ドリーンがコーヒーポットを持って行ってしまうと、片方の男がもう一人に言った。「おい、あのケツ見てみなよ。凄え代物だと思わない？」

もう一人の男は笑った。「おい、よしてくれよ」と彼は言った。

「いや、もちろんそうさ」と最初の男が言った。「でも世の中にはああいうぽっちゃりとしたあそこが好きな物好きもいるんだよな」

「俺は御免だね」と相手の男が言った。

「俺だって御免さ」と最初の男が言った。「俺が言いたいのはそういうことよ」

ドリーンはサンドイッチをアールの前に置いた。サンドイッチのまわりにはフライド・ポテトとコールスローと胡瓜のピクルスが載っていた。

「他に何かいる？　ミルクはどう？」と彼女は言った。

彼は何も答えなかった。彼女がそこに立ったまま答えを待っていると、彼は黙って首を振った。

「コーヒーのおかわりを持ってきてあげる」と彼女は言った。

彼女はポットを手に戻ってきて、彼と隣の二人の男にコーヒーのおかわりを注いだ。それから皿を手に取って、アイスクリームを取るために後ろを向いた。アイスボックスの上に身を屈めて、ディッパーを使ってアイスクリームをすくい取りはじめた。白いスカートが尻にぴたっとくっついて、脚の上の方までまくれあがった。ガードルが見えた。ピンクのガードル。腿は皺がよって、血色が悪かった。そして少々毛深かった。模様みたいに細かく血管が浮いていた。

アールの隣に座った二人は目を見合わせた。一人はおどけて眉を上げた。もう一人はにやっと笑ったまま、コーヒーカップごしにドリーンがアイスクリームにチョコレート・シロップをかけるのをじっと眺めていた。彼女がホイップ・クリームの缶を振りはじめたところで、アールは料理を残して席を立ち、出口に向かった。彼女が自分の名を呼ぶのが聞こえたが、振り向きもせずに歩きつづけた。

彼は子供たちの様子を見てから、寝室に行って服を脱いだ。布団を引っぱり上げて、目を閉じた。彼の頭はあちこちを駆けまわった。顔が熱くなり、それはやがて腹へ、そして脚へと伝わっていった。彼は目を開けて、枕の上で頭を前後にどんどんと揺すった。それから横向けになり、眠ってしまった。

朝、子供たちを学校に送りだした後で、ドリーンが寝室にやってきて、シェードを上げた。アールは既に目を覚ましていた。

「お前、ちょっと鏡で自分のこと見てみろよ」と彼は言った。

「何ですって？」と彼女は言った。「何言ってるのよ、藪から棒に？」

「いいからちょっと鏡で自分のことを見てみろよ」

「それがどうしたっていうのよ？」と彼女は言った。でも彼女はドレッサーの上についた鏡をのぞきこみ、肩にかかった髪を払った。

「それで？」と彼は訊いた。

「それで、なによ？」と彼女は言った。

「俺、こういうこと本当は言いたくないんだ」とアールは言った。「でもな、ちょっとダイエットのこと考えてみてもいいんじゃないの？　冗談で言ってるんじゃないぜ。俺、本気で言ってるんだ。あと一キロばかり肉を落としてもいいんじゃないかって俺は思うんだ。怒らないでほしいんだが」

「何が言いたいのよ？」と彼女は言った。

「今言ったとおりのことさ。一キロばかり肉を落としたっていいだろう。だからさ、たったの一キロばかりでいいんだよ」と彼は言った。

「今まであんた、そんなことひとことも言わなかったじゃない」と彼女は言った。彼女は寝間着をヒップの上まで引っぱり上げた。そして後ろを向いて鏡に自分の腹を映してみた。

「これまでは気にするほどのことだとは思わなかったんだ」と彼は言った。彼はなんとかうまい言葉をみつけようとした。

寝間着は相変わらず彼女の腰のあたりまで引っぱり上げられていた。ドリーンは鏡に背中を向け、肩ごしに振り返って見た。尻の肉を手で持ちあげて、下に落とした。

アールは目を閉じた。「あるいは俺は間違っているかもしれんな」と彼は言った。

「まあ、痩せる余地があるってことは確かかね。でも痩せるのって大変なのよ」と彼女は言った。

「ああ、そのとおりだ。痩せるのは大変なことだ」と彼は言った。「でも俺も手伝ってやるよ」

「あんたの言うとおりかもね」と彼女は言った。彼女は寝間着を下ろして彼を見た。それから寝間着を脱いだ。

二人はダイエットについて話し合った。プロテイン・ダイエットや、純正菜食ダイエットや、グレープフルーツ・ダイエットについて話し合った。でもプロテイン・ダイエットに必要なステーキ肉を買えるほどの経済力は、どう考えても二人にはなかった。野菜しか食べないなんてごめんだわとドリーンは言った。グレープフルーツだってそこまで好きじゃないしね、と彼女は言った。だからそれも除外された。

「いいよ、もうやめにしよう」と彼は言った。

「ううん、あんたの言うこと正しい」と彼女は言った。「私なんとかやってみる」

「運動するのはどうかな?」

「運動なんて私、お店でいやっていうほどやってるわよ」と彼女は言った。

「あとは食うのをやめるしかない」とアールは言った。「二、三日でいいからさ」

「わかった」と彼女は言った。「やってみる。二、三日ためしにやってみる。あんたには負けたわよ、まったく」

「俺、いつも最後には勝つんだ」とアールは言った。

彼は銀行口座の残高を調べてからディスカウント・ストアに行って家庭用体重計を買った。彼はレジを打つ女の子をじっと睨んでいた。

家に帰ると彼は、服を全部脱がせてドリーンの体重を計った。血管が浮きでているのを見て、彼は嫌な顔をした。そして腿に浮いた血管のひとつを指でずっと上までたどった。

「何してんのよ？」と彼女が訊いた。

「何でもない」と彼は言った。

彼は体重計の数字を紙にメモした。

「これでよし」とアールは言った。「これでよし」

翌日の午後の大半を彼は仕事の面接でつぶした。社長はがっしりとした大柄の男で、片足をひきずりながら倉庫の中を案内し、配管機器をアールに見せてまわった。そしてアールに「あんた、旅行は自由にできるかね？」と訊いた。

「ええ、それはもう自由です」とアールは答えた。

相手は肯いた。

アールは微笑んだ。

玄関の戸を開ける前からテレビの音が聞こえた。彼が居間を通り抜けても、子供たちは顔も上げなかった。台所ではドリーンが仕事に行く格好をして、スクランブルド・エッグとベーコンを食べていた。

「お前、それ何してるんだ？」とアールが言った。

彼女は口の中をいっぱいにして、食べ物を噛みつづけた。でもそれから口の中のものを全部ナプキンの上に吐きだした。

「我慢できなかったのよ」と彼女は言った。

「駄目だ、こりゃ」とアールは言った。「さあ、いいから好きに食え。どんどん食え！」彼は寝室に行ってドアをばたんと閉め、ベッドの上掛けの上に寝転んだ。まだテレビの音が聞こえた。彼は頭の後ろに手をやって、じっと天井を見つめた。

彼女がドアを開けた。

「私、もう一度がんばってみるから」とドリーンが言った。

「オーケー」と彼は言った。

二日後の朝、ドリーンはバスルームから夫を呼んだ。「ほら、見て」と彼女は言った。

彼は目盛りを読んだ。そして引き出しからメモを出して、もう一度目盛りを読んだ。そのあいだドリーンはにやにやしていた。

「三〇〇グラム減った」と彼女は言った。

「よくやった」と彼は言って、妻の腰を軽く叩いた。

彼は求人広告を読んだ。公共職業安定所にも行った。三日か四日ごとに車に乗って面接を受けにいった。そして夜になると女房のチップの勘定をした。テーブルの上でドル紙幣の皺をのばし、各種硬貨を一ドルごとに積んで並べた。朝が来ると彼女を体重計に乗せた。

二週間で彼女は一・五キロ痩せた。

「私つまみ食いしてるの」と彼女は言った。「なにしろ毎日おなかが減って減って、仕事場でつまみ食いしているの。そのぶんがあると思う」

でもその一週間後には彼女は二・二キロ体重を減らせていた。その翌週には体重の減少は四キロに達した。服がだぶだぶになってきた。家賃のぶんとして取っておいた金で新しい制服を買わねばならなかった。

「お店の人があれこれ言うのよ」と彼女は言った。

「どんなことを？」とアールが訊いた。

「たとえば、顔色が悪いとか」と彼女は言った。「様子が変だとか、そんなに痩せて具合が悪いんじゃないかとか」

「痩せて何が悪いんだよ?」と彼は言った。「何言われたって気にすることないさ。人のことにいちいち口出すなって言っておけよ。そいつらはお前の亭主じゃないんだ。お前はそいつらと一緒に暮らしてるわけじゃないんだ」
「でも私、その人たちと一緒に仕事してるんだけど」
「そりゃそうだ」とアールは言った。「でもとにかくそいつらはお前の亭主じゃない」

毎朝彼はドリーンと一緒にバスルームに行って、彼女が体重計に乗るのを待った。そして鉛筆とメモ用紙を手に、両膝をついて床に屈みこんだ。紙には日付と曜日と数字がぎっしり書き込まれていた。彼は体重計の数字を読み、紙と照合し、肯いたりあるいは唇をぎゅっと嚙みしめたりした。

ドリーンはベッドで横になっていることが多くなった。子供たちが学校に行ってしまうと、彼女はまたベッドに戻った。午後には仕事に行く前の昼寝をした。アールは家事を手伝い、テレビを見て、彼女をそのまま寝かせておいた。買い物も彼が全部引き受けた。そして時々仕事の面接に行った。

ある夜、子供たちを寝かしつけたあと、テレビを消し、外に軽く飲みに出ることにした。バーが閉店すると、車を運転してコーヒーショップに行った。

彼はカウンターに座って待った。ドリーンは彼の姿を見ると「子供たちは大丈夫なの？」と尋ねた。

アールは肯いた。

注文するのにたっぷり時間をかけた。カウンターの後ろを行ったり来たりする彼女の姿に彼はじっと目を注いでいた。そしてやっとチーズバーガーを注文した。彼女はコックにオーダーを伝え、別の客の応対をしに行ってしまった。

別のウェイトレスが通りがかりに、彼のカップにコーヒーを注いだ。

「あの君の友達なんていうの？」と彼はドリーンの方を顎で指して訊いた。

「ドリーン」とそのウェイトレスは答えた。

「前にここに来たときと彼女ずいぶん感じが違って見えるけど」と彼は言った。

「そうかしら」と彼女は言った。

彼はチーズバーガーを食べ、コーヒーを飲んだ。カウンターにはいろんな客が来ては去っていった。カウンターに座る客はだいたいドリーンが受け持ったが、もう一人の別のウェイトレスがオーダーを取りに来ることもたまにあった。彼は妻の様子をじっとうかがい、会話に聞き耳を立てた。二度ばかり彼は便所に行くために席を立たなくてはならなかったが、その度に自分が何か大事なことを聞きのがしたんじゃないだろうかと心配でならなかった。二度めの便所に行って帰ってくると、彼のカップは下げられて、席には別の客が座っていた。彼はカウンターのいちばん端のストゥールに座った。ストライプのシャツを着た年配の客の隣だ。

「いったい、何してんのよ?」ドリーンはアールがまだいるのを見てそう言った。「あんた、家に帰ってなきゃいけないんじゃないの?」

「コーヒーくれよ」と彼は言った。

アールの隣の男は新聞を読んでいた。頭を上げてドリーンがアールのカップにコーヒーを注ぐのをじっと見ていた。ドリーンが歩いて去っていくのを、彼はちらっと見た。それからまた新聞を読みはじめた。

アールはコーヒーをすすり、男が何か言うのを待った。目の端で男を観察していた。男は料理をもう食べ終えて、皿は脇におしやられていた。煙草に火をつけ、新聞を前に畳んで置き、それをなおも読みつづけた。

ドリーンがやってきて、食べ終えた皿をさげ、コーヒーのおかわりを注いでいった。

「おたく、あれどう思う?」アールはカウンターの向こうの方に歩いていくドリーンを顎で指しながら、男にそう訊いた。「どう、ちょっとしたもんだと思わない?」

男は目を上げた。彼はドリーンを見て、それからアールを見た。そしてまた新聞に目を戻した。

「ねえ、どう思うの?」とアールは言った。「俺、あんたに訊いてるんだよ。いいと思う、それともそんなに良くないと思う? 言ってみてよ」

男はばたばたと音を立てて新聞を畳んだ。

ドリーンがまたカウンターのこちらにやってきたとき、アールは男の肩を軽く小突いてこう言った。「なあ、おたくにいいこと教えてやるよ。いいか。彼女のケツを見てみろよ。ねえわかった? よく見てるんだよ。よう、チョコレート・サンデーひとつお願い」とアールはドリーンに向かって言った。

彼女はアールの前に立って、ふうっと息をついた。それから後ろを向いて、皿とアイスクリーム・ディッパーを手に取った。フリーザーの上にかがみこんで、手をのばし、ディッパーをアイスクリームの中にぎゅっとねじこんだ。ドリーンのスカートが腿の上の方までまくれあがると、アールは男の顔を見てウィンクした。でも男はもう一人のウェイトレスがこっちを見ているのに気づいた。男は新聞を小脇に抱えて、ポケットに手を突っ込んだ。

そのもう一人のウェイトレスがドリーンの方にさっと寄ってきた。「あの馬鹿、いったい誰なの?」

た。

「誰のこと？」とドリーンは言って、アイスクリーム皿を持ったままあたりを見回した。

「あいつよ」とそのウェイトレスは顎でアールを指して言った。「あの大ボケはどこの誰よ、まったく？」

アールは精一杯愛想よくにっこりとした。彼はずっとその笑みを浮かべていた。顔がひきつって崩れてしまいそうになるまで、笑みを顔に浮かべつづけていた。

でもそのウェイトレスは、ただ冷ややかに彼を睨んでいた。ドリーンはやれやれというように頭を振った。男は小銭をカップの横に置いて席を立ったが、彼もまたその答えを待っていた。全員がアールをじっと見ていた。

「この人はセールスマンなのよ。そしてうちの亭主」ドリーンはやっとそう言うと肩をすくめた。そしてつくりかけのチョコレート・サンデーを夫の前に置くと、そのぶんを勘定書に追加しに向こうに行ってしまった。

あなたお医者さま？

Are You A Doctor ?

電話のベルが鳴ったので、彼はスリッパにパジャマにローブという格好で、急ぎ足で書斎を出た。時計は十時をまわっていたから、それは妻からの電話のはずだった。彼女は出張しているときには毎晩、酒を少々飲んだあとで、これくらいの遅い時刻に電話をかけてきた。彼女はバイヤーの仕事をしており、その週は商用でずっと家を離れていた。

「やあ、私だ」と彼は言った。それから「もしもし」とあらためて言いなおした。

「どちら様ですか」と女が尋ねた。

「さあ、そちらこそどちら様でしょうか」と彼は言った。「いったい何番におかけなんです？」

「ちょっと待って」と女が言った。「ええと、273の8063」

「うちの番号だな」と彼は言った。「どうしてその番号を知ってるんです？」

「わからないの。仕事から帰ってきたら、メモにこの番号が書きつけてあったの」

「誰が書いたんです？」

「さあ」と女は言った。「ベビーシッターかな。きっとそうね」

「その子がどうしてうちの電話番号を知っているのか合点がいかないが」と彼は言った。「ともかくそれはうちの番号ですな。電話帳には出ていないものです。そんなメモはそのまま捨てていただければ有り難いですね。もしもし、聞こえてますか？」

「ええ、聞こえてるわよ」と女が言った。

「じゃあこれでいいですね？」と彼は言った。「もう夜も遅いし、私も忙しい」彼はきつい言い方をするつもりはなかったが、変なことにまきこまれたくなかった。彼は電話の横にある椅子に腰を下ろした。「きつい言い方をするつもりじゃなかったんです。しかしなにしろ夜も遅いですしね。それに私としてはどうしてあなたがうちの番号を御存じなのかが気になるわけです」彼は返事を待つあいだスリッパを脱いで、足をマッサージした。

「私だってわかんないわ」と彼女は言った。「さっきも言ったように、番号だけが書き残してあったの。伝言もなにもなし。明日アネットに会ったら――アネットって、シッターの子の名前なんだけど――訊いてみるわ。御迷惑おかけしたんだったらごめんなさい。今さっきこの書きつけを見つけたばかりなの。仕事から帰ってきて、ずっと台所仕事していたものだから」

「わかりました」と彼は言った。「いいですから、その紙を丸めて捨てるかなにかしちゃって下さい。それで結構です。問題はありません」彼は受話器を反対側の耳に移しかえた。

「あなたって優しい方なのね」と女が言った。

「私が？　ま、そう言っていただけるのは嬉しいですがね」そのまま電話を切ってしまうのがまともなやり方であることは彼にもよくわかっていた。しかしこの静かな部屋の中に声が響くのを聞くのは、たとえそれが自分自身の声であるにせよ、悪くはなかった。

「ほんとよ」と彼女は言った。「わかるの」

彼は足から手を放した。

「なんていうお名前？　よろしかったら教えていただける？」

「アーノルドです」と彼は言った。

「それで、ファースト・ネームの方は？」と彼女が言った。

「アーノルドというのがファースト・ネーム」と彼は言った。

「あら、ごめんなさい」と彼女は言った。「アーノルドというのがファースト・ネームなのね。じゃ、苗字の方はなんておっしゃるのかしら、アーノルド？　苗字の方は？」

「申し訳ないが、もう切らなきゃならんので」と彼は言った。

「アーノルド、おねがい。私の名前はクララ・ホルト。だからあなたの苗字を教えて」

「アーノルド・ブライト」と言ってから、彼はすぐにつけ加えた。「アーノルド・ブライトです、クララ・ホルトさん。よろしく。でも本当に電話を切らなきゃならんのです。ミス・ホルト。電話がかかってくることになってるんです」

「ごめんなさいね、アーノルド。お邪魔するつもりなかったんだけど」と彼女は言った。

「かまいませんよ」と彼は言った。「お話しできて楽しかったです」

「すごく親切な方ね、アーノルド」

「ちょっとそのまま待っててくれますか？」と彼は言った。「すぐ済みますから」彼は書斎に行って葉巻をくわえ、ひと呼吸おいて備えつけのライターで火をつけ、それから眼鏡をはずし、暖炉の上にかかった鏡にうつった自分の顔を眺めた。もう電話は切れてしまったかもしれないなと思いながら、彼は電話口に戻った。

「もしもし」

「もしもし、アーノルド」と彼女は言った。

「もう切れたかと思ってましたよ」

「大丈夫」と彼女は言った。

「うちの電話番号が洩れちゃったことなんですけど」と彼は言った。「べつに心配することもないと思うんです。そのまま捨ててもらえばいいと思うんです」

「そうするわ、アーノルド」と彼女は言った。

「それじゃまあそういうことで」

「ええ、いいわ」と彼女は言った。「私の方も失礼します」

彼女がすうっと息を吸い込む音が聞こえた。

「こんなことお願いするのがあつかましいってことはよくわかってるんですけどね、アーノルド、できたらどこかゆっくりお話しできるところであなたとお会いできないかしら？　ほんのちょっとでいいんだけれど」

「そういうのはどうでしょうね」と彼は言った。

「ほんのちょっとでいいの、アーノルド。あなたの電話番号みつけたこととか、そんな何やかやのこと。私、なんだかすごく気にかかるの」

「私は年寄りですよ」と彼は言った。

「そんなことないわ」と彼女は言った。

「本当にそうなんです」と彼は言った。

「どこかでお会いできないかしら、アーノルド？　ね、私は本当は全部しゃべったってわけじゃないの。まだかくしていることがあるのよ」と女が言った。

「なんだって？」と彼は言った。「いったいどういうことかね、もしもし？」

電話はもう切れていた。

寝支度をしていると、妻から電話がかかってきた。彼女はちょっと酔っているみたいだった。二人は少しおしゃべりをしたが、彼はさっきの電話のことには触れなかった。そのあと、ベッド・カバーを折りかえしていると、また電話のベルが鳴った。

彼は受話器を取った。「はい、アーノルド・ブライトですが」

「アーノルド、電話が切れちゃってごめんなさいね。さっきも言ったように、私たち会うべきだと思うの」

翌日の午後、鍵を鍵穴にさしこんでいるときに電話のベルが鳴るのが聞こえた。彼はブリーフケースを放り出し、帽子にコートに手袋という格好のままテーブルまでとんでいって、受話器を取った。

「アーノルド、何度もお邪魔してごめんなさいね」と女が言った。「でも今夜九時か九時半にどうしてもうちに来ていただきたいの。そうしていただけるかしら、アーノルド？」

彼女が自分の名前を呼ぶのを聞いていると、彼の心は揺れた。「そいつは無理だと思いますね」と彼は言った。

「おねがい、アーノルド」と彼女は言った。「大事なことなの。でなきゃお願いしたりしないわ。シェリルが風邪ひいちゃって具合悪いし、男の子の方も心配なんで、今夜は外に出られないのよ」

「それで御主人は？」少し間があった。

「私、結婚してないの」と彼女は言った。「来て下さるわね？」

「約束はできないな」と彼は言った。

「来て下さいってあなたにすがっているのよ」と彼女は言って、間をおかずに住所を教えて電話を切った。

あなたにすがっているのよ、か、と彼は受話器を手にしたまま復唱した。ゆっくりと手袋をとり、それからコートを脱いだ。うかつなことはできんぞ、と彼は思った。

それから顔と手を洗いにいった。バスルームの鏡を見て、自分がまだ帽子をかぶったままでいたことに初めて気づいた。女に会いにいこうと決心したのはそのときだった。彼は帽子と眼鏡をとり、石鹼で顔を洗った。そして爪を点検した。


「本当にこの通りでいいのかね?」と彼は運転手に訊いた。

「これがその通りで、その建物はあそこ」と運転手は言った。

「その先の方まで行って、ブロックの角で下ろしてもらおう」

　彼は料金を払った。建物の上の階の窓がバルコニーを明るく照らしだしていた。手すりの上には植木鉢が並び、あちこちに庭園家具が見えた。バルコニーのひとつではスウェット・シャツを着た大男が手すりによりかかって、彼が入口の方に歩いていくのをじっと見ていた。

　C・ホルトという名前の下のボタンを押した。ブザーが鳴り、彼はドアに戻って、中に入った。ゆっくりと階段をのぼり、踊り場が来るたびに休んで一息ついた。ルクセンブルクのホテルのことが思いだされた。ずいぶん昔のことになるけれど、彼と妻はその五階ぶんの階段をせっせとのぼったものだった。わき腹に急な痛みを感じて、彼は心臓のことが心配になった。脚ががくっと崩れて、そのまま自分が階段のいちばん下まで音を立てて転げ落ちていくところを想像した。彼はハンカチを取り出して、額の汗を拭った。眼鏡を取ってレンズを拭き、心臓の動悸が収まるのを待った。

彼は廊下を見わたした。アパートはとても静かだった。ドアの前で立ち止まり、帽子をとり、軽くノックした。ドアがちょっぴり開いて、パジャマ姿のぽっちゃりとした小さな女の子が姿を現した。

「アーノルド・ブライトさん？」と女の子が言った。

「そうだよ」と彼は言った。「お母さんはいるかね？」

「中に入って待っていて下さいって。ドラッグストアに咳止めドロップとアスピリンを買いに行きますからって」

彼は中に入って、ドアを閉めた。「君はなんていう名前なんだい？　お母さんから教わったんだけど、忘れちゃってねえ」

女の子は何も言わなかったので、彼はもう一度尋ねてみた。

「なんていう名前だっけね。シャーリーっていったっけねえ？」

「シェリル」と彼女は言った。「C・H・E・R・Y・L」

「そう、そうだっけね。でも近かったよね」

彼女は部屋の向こう側に行ってクッションの上に座り、じっと彼を見た。

「具合が悪いんだね」と彼は言った。

彼女は首を振った。

「悪くないのかい？」

「悪くない」と彼女は言った。

彼はあたりを見回した。黄金色のフロア・ランプが部屋を照らしていた。フロア・ランプには灰皿とマガジン・ラックがついていた。テレビが部屋の向こうの壁際にあって、小さな音でついていた。狭い廊下が奥の方の部屋に通じていた。暖房が強められていて、薬の匂いでムッとしていた。ヘアピンとカーラーがコーヒー・テーブルの上に置かれ、ピンクのバス・ローブがカウチの上にかかっていた。

彼はまた女の子の方を見た。そしてキッチンに目をやり、それからキッチンとバルコニーを隔てているガラス戸に目をやった。戸がかすかに開いていたので、彼はスウェット・シャツを着た大男のことを思いだして、ちょっと心がひるんだ。

「ママはすぐ帰るから」と女の子がまるではっと目をさましたみたいに言った。

彼は帽子を手に爪先立ちで前かがみになって、その女の子を見つめた。「もう私は失礼した方がよさそうだな」と彼は言った。

鍵がかしゃっと回って、ドアが勢いよく開き、青白い顔をしたそばかすのある小柄な女が紙袋をかかえて部屋に入ってきた。

「アーノルド！　来て下さったのね！」彼女は素早く不安げに彼をちらっと見て、それから変な感じに頭を振りながら、紙袋をかかえてキッチンに行った。食器棚の閉まる音が聞こえた。女の子はクッションに座って彼を見ていた。彼はしばらく一方の足に重心をかけてからもう一方に移し、次に帽子をかぶったが、女が姿を見せるとその手でまた帽子を脱いだ。

「あなた、お医者さま？」と女が尋ねた。

「いや」と彼はびっくりして言った。「いや、私は医者じゃないです」

「ごらんのとおりシェリルの具合が悪いの。私は買い物に出てたんです。どうしてお前、コートを脱いでいただかなかったの？」と彼女は娘に向かって言った。「本当にごめんなさいね。ここにお客が来ることってあまりないものですから」

「もう失礼しますよ」と彼は言った。「やっぱり来るべきじゃなかったんだ」

「どうかお座りになって」と彼女は言った。「こんな風じゃお話もできないわ。さきにこの子に薬を飲ませますから、そのあとで話しましょう」

「本当に行かなくちゃならんのです」と彼は言った。「私はあなたの口調からして、すごく急な用件だと思ったんだ。でも、もう本当に行かなくちゃならない」彼はふと両手を見おろし、そう言っている自分の身ぶりが弱々しいことに気づいた。

「いまお茶を入れます」と女が言うのが聞こえた。彼の言ったことなんてまるで耳にも入っていないみたいだった。「それからシェリルに薬を飲ませます。そのあとでお話ししましょう」

彼女は娘の肩に手を置いて、舵をとるようにキッチンにつれていった。女がスプーンを手に取り、瓶のラベルをたしかめてからそのふたを開け、二さじ分をすくうのが見えた。

「さ、ブライトさんにおやすみのあいさつをして、それから自分のお部屋に行きなさい」

彼は子供に向かって肯いてあいさつをかえし、それから女のあとについてキッチンに行った。彼は女がすすめた椅子を避けて、バルコニーと廊下と小さな居間の方を向いた椅子に腰を下ろした。「葉巻を吸って構わないかな?」と彼は訊いた。

「ええ、どうぞ」と彼女は言った。「ぜんぜん構わないわ、アーノルド。吸って下さい」

彼は吸わないことにした。両手を膝にのせ、むずかしそうな表情を顔に浮かべた。

「まったくのところ、私にはまだよくわからないんだ」と彼は言った。「私にはどうもこういうのがまともなことだとは思えないんだがね」

「わかるわ、アーノルド」と彼女は言った。「あなたはきっと私があなたの電話番号を手に入れたいきさつを知りたいのね？」

「そのとおり」と彼は言った。

二人は向きあったまま、湯が沸くのを待った。テレビの音が聞こえた。彼はキッチンを見回し、バルコニーの方にもう一度目をやった。やかんが音を立てはじめた。

「電話番号のことを話してくれるんじゃないのかね」と彼は言った。

「なんて言ったの、アーノルド？　ごめんなさい」と彼女が言った。

彼は咳払いした。「どうして私のうちの電話番号がわかったのか教えてもらえないかな？」

「アネットに尋ねてみたの。ベビーシッターの子なんだけど——それは知ってるわね。その子が言うには、彼女がここにいるときに電話がかかってきて、私がいるかって尋ねたらしいのね。で、向こうは電話番号を言ったんだけど、それがおたくの番号だったってわけ。私の聞いたのはそういうことね」彼女は前に置いたカップをくるくると回した。「ごめんなさいね、私に言えるのはそれだけなの」

「お湯が沸いてるよ」と彼は言った。

彼女はスプーンとミルクと砂糖を出して、ティーバッグの上に湯を注いだ。

彼は砂糖を入れて、紅茶をかきまぜた。「あなたが緊急のことだからと言うんで私はここまで来たのだよ」

「ああそうだったわね、アーノルド」と彼女は目をそらせるようにして言った。「どうしてそんなこと言っちゃったのかしら。いったい何を考えてたんでしょうね」

「じゃあ何もないんだね？」と彼は言った。

「ええ。ええっていうか、そうね」と言って、彼女は頭を振った。「あなたの言うとおりね。何もないの」

「なるほど」と彼は言って、なおも紅茶をかきまわしていた。「変な話だ」彼は少し間をおいてから、まるで自分に言いきかせるみたいに、そう言った。「まったくもって変な話だ」彼は弱々しく微笑んで、カップをわきに押しやり、ナプキンで唇を軽く押さえた。

「もう帰っちゃうんじゃないわよね？」と彼女は言った。

「帰らなきゃならない」と彼は言った。「うちに電話がかかってくることになっているものでね」

「まだ行かないで」

　彼女はがたんと椅子を引いて立ち上がった。彼女の目は淡い緑色で、それが青白い顔の中に深く埋めこまれていた。目のまわりにはくまがあったが、最初のうち彼はそれを濃い化粧ととりちがえていた。そんなことをすればあとでうんざりした気分になるだろうことはわかっていたのだが、自分自身にあきれながらも、彼は立ち上がって両腕を不器用に女の腰にまわした。彼女はせわしくまばたきをし、それからちょっと目を閉じて、彼にキスをさせた。

「遅くなってしまった」と彼は体を離し、心もとなげに顔をそむけた。「いろいろと有り難う。でも、もう帰ります、ミセス・ホルト。お茶をごちそうさま」

「また来て下さるわね、アーノルド」と彼女は言った。

　彼は首を振った。

　女は戸口まで見送った。彼はそこで握手の手をさしだした。テレビの音が聞こえたが、そのヴォリュームはさっきよりたしかに高くなっていた。そういえばもう一人子供がいるって言ってたな――男の子。その子はいったいどこにいるんだ？

　彼女は彼の手をとり、それをすばやく唇にもっていった。

「私のこと忘れないでね、アーノルド」

「忘れないよ」と彼は言った。「クララ。クララ・ホルト」

「お話しできて楽しかった」と彼女は言った。そして彼のスーツの襟もとについていた何か、髪、糸くず、をつまんだ。「来て下さってすごく嬉しかったわ。それに、またもう一度来ていただけるはずだって気がするの」彼は女の顔をさぐるようにのぞきこんだが、彼女の目はまるで何かを思い出そうとしているかのように、彼の体の向こう側をじっと見つめていた。「じゃあ——おやすみなさい、アーノルド」と女は言うと、さっとドアを閉めた。もうすこしでオーバーコートの裾がはさまれてしまうところだった。

「変な話だ」彼はそう口に出してから、階段を下りはじめた。舗道に出てふうっと息をつき、ちょっと立ち止まって後ろの建物をふりかえった。しかし彼にはどのバルコニーが彼女の部屋のものか、見わけがつかなかった。スウェット・シャツを着た大男は手すりにわずかに身を寄せ、彼の姿をじっと見下ろしていた。

彼は両手をコートのポケットに深くつっこみ、歩きはじめた。家に着くと、電話のベルが鳴っていた。彼は指のあいだに鍵をはさんだまま、電話のベルが鳴り終わるまで、部屋の真ん中で、身動きひとつせずにじっとつっ立っていた。それから手をそっと心臓の上にのせた。重ね着の厚い布地をとおして、胸の鼓動が感じられた。少しあとで、彼はベッドルームにひきあげた。

ベッドルームに入るのとほとんど同時に電話のベルがまた鳴り響いた。彼は今度は受話器をとった。「アーノルド。アーノルド・ブライトです」と彼は言った。

「アーノルド？　どうしたの、今夜はえらく他人行儀なしゃべり方じゃない」と妻が言った。元気の良い、からかうような声だった。「九時からずっと電話しつづけよ。外でお楽しみってわけ、アーノルド？」

彼は黙りこんだまま、妻の声についてじっくりと考えてみた。

「どうしたの、アーノルド？」と彼女は言った。「なんだかあなたじゃないみたいよ」

父親

The Father

赤ん坊はベッドの隣のバスケットの中に寝ていた。白いボンネットとおくるみをつけていた。色を塗りなおされたバスケットにはアイス・ブルーのリボンが結ばれ、青いキルトが下に敷かれていた。三人の幼い姉妹と母親（彼女は床を離れたばかりで、まだすっかり回復はしていなかった）と祖母が赤ん坊のまわりを取り囲むような格好で立って、赤ん坊がじっと目をこらしたり、こぶしを口に持っていったりするのを見ていた。赤ん坊はにこりともしなかったし、笑い声もあげなかった。でも姉たちのひとりがその顎を撫でてやると、ときどき目をぱちくりさせ、舌をちらちら出したり入れたりした。

父親は台所にいたから、女たちが赤ん坊と遊んでいる声を聞くことができた。

「ねえ誰のことが好き？」とフィリスが赤ん坊の顎をくすぐりながら尋ねた。

「この子は私たちみんなのことが好きよ」とフィリスは言った。「でもやっぱりお父さんのことが好きよねえ。なんといっても男どうしだもの」

祖母はベッドの縁に腰を下ろして言った。「このちっちゃな腕をごらんよ。むくむくしてさ。そしてこのちっちゃな指。お母さんそっくりじゃないか」

「この子って可愛いでしょう」と母親は言った。「本当に元気そうよねえ、よしよし」身をかがめて、赤ん坊のおでこにキスした。そしてその腕にかかった上掛けに手を触れた。「私たちもこの子のこと好きよ」

「でもこの子、誰に似てるのかしら？　ねえ、誰に似てる？」とアリスが叫んだ。そしてみんなでバスケットに顔を寄せて、赤ん坊が誰に似ているかを見きわめようとした。

「目が可愛いじゃない」とキャロルは言った。

「赤ん坊は誰だって目が可愛いものよ」とフィリスが言った。

「唇がおじいちゃんにそっくりじゃないか」と祖母が言った。「あの唇をごらんよ」

「そうかしらねえ」と母親が言った。「そんなこともないんじゃない」

「あの鼻！　あの鼻！」とアリスが叫んだ。

「この子の鼻がいったいどうしたのよ？」と母親が尋ねた。

「この鼻、誰かに似てる」と少女が答えた。

「さあ、どうだろう」と母親が言った。「そんなこともないんじゃないの」

「あの唇は……」と祖母が呟くように言った。「あのちっちゃな指ったら……」と彼女は言って、赤ん坊の手を外に出して、指を広げた。

「赤ん坊は誰に似ているかしら？」

「誰にも似てないわ」とフィリスは言った。みんなはもっと顔を近づけて見た。

「わかった、わかった！」とキャロルが言った。「この子、お父さんに似てる！」みんなはさらに顔を近づけた。

「でもお父さんは誰に似てるのよ？」とフィリスが訊いた。

「お父さんは誰に似てるのよ？」とアリスが繰り返した。そしてみんなはいっせいに台所の方に目をやった。そこでは父親が、家族に背中を向けてテーブルの前に座っていた。

「そんなの、誰にも似てやしないわよ」とフィリスは言ってしくしく泣き始めた。

「静かになさい」と祖母は言って、目をそらせ、それから赤ん坊を見た。

「お父さんは誰にも似てない！」とアリスが言った。

「でもお父さんだって誰かに似ていなくちゃならないはずよ」とフィリスは言って、リボンのひとつで目を拭った。祖母を除く女たちの全員が、テーブルの前に座った父親を見ていた。

彼は椅子に座ったまま後ろを振り向いた。その顔は蒼白で、そこには表情というものがなかった。

サマー・スティールヘッド（夏にじます）

Nobody Said Anything

台所から二人の声が聞こえてきた。何を言っているのかは聞き取れなかったけれど、とにかく二人は言い争っていた。でもやがて静かになり、母さんが泣きはじめた。僕はジョージを肘でつっついた。ジョージが目を覚まして二人のところに行って何か言い、それで彼らがうしろめたく思って喧嘩をやめるんじゃないかと考えたのだ。でもジョージときたら相変わらずの脳足りんで、足をどんどんと蹴って、大声をあげた。

「何しやがる、畜生め」と弟は言った。「言いつけてやるからな」

「このうすのろ馬鹿」と僕は言った。「お前脳味噌ってものがないのか。二人が喧嘩して、ママは泣いているんだぞ。ほら、聞いてみろ」

弟は枕から頭を上げて、耳を澄ませた。「知ったこっちゃねえや」と彼は言って壁の方にごろんと寝返りを打ち、そのまま眠ってしまった。ジョージときたら国宝級の脳足りんなのだ。

そのあとで僕は父さんがバスに乗るために家を出ていく音を聞いた。彼は玄関のドアをばたんと閉めた。母さんは前に僕らに言ったことがあった。お父さんは家族をばらばらにしてしまうつもりなのよ、と。僕はそんな話を聞きたくなかった。

それから少しして、母さんが学校に行くために僕らを起こした。母さんの声はどことなく変だった。ちょっとそんな気がした。おなかの具合がおかしいんだよと僕は言った。それは十月の第一週で、それまで一日も学校を休んだことはなかった。だから母さんも文句は言えなかった。母さんは僕の顔を見た。でも母さんは何か別のことを考えているみたいだった。ジョージは目を覚まして、話を聞いていた。体の動かし方で、僕には奴が目覚めていることがわかった。なりゆきを見てすぐに行動に移れるようにじっと待ち構えているのだ。

「わかったわ」と母さんは言って首を振った。「しかたないわね。じゃあ家でじっとしていなさい。でもテレビは見ちゃ駄目よ。わかった？」

ジョージが体を起こした。「僕だって病気だよ」とジョージは母さんに言った。「頭が痛いんだ。兄ちゃんが一晩じゅう僕のことを蹴ったりつついたりするもんだから、全然寝られなかったんだよ」

「よしなさい！」と母さんは言った。「あなたは学校に行くのよ、ジョージ！　ここに残しておいたら、お兄さんとずっと喧嘩してるだけじゃない。さあ、早く起きて支度をしなさい。早くするのよ。朝っぱらからもう一戦交えたくなんかないのよ」

ジョージは母さんが部屋から出ていくのを待っていた。それからベッドの足もとの方から這い出た。「この野郎」と奴は言って、僕の布団を全部はぎとってしまった。そしてさっさとバスルームの中に逃げこんでしまった。

「殺してやるからな」と僕は言った。母さんには聞こえないくらいの小さな声で。

ジョージが学校に行ってしまうまで、ベッドの中でじっとしていた。母さんが仕事に行く用意にかかると、カウチに寝支度をしてもらえないだろうかと頼んでみた。勉強がしたいんだよ、と僕は言った。コーヒー・テーブルの上には誕生日にもらったエドガー・ライス・バローズの本と、社会科の教科書が載っていた。でも本なんて読む気にはなれない。早く母さんが出ていってくれたらテレビが見られるのになと思っていた。


母さんがトイレットの水を流した。

僕はもう一刻も待てなかった。音を出さないようにテレビの画像をつけた。台所に行って母さんが置きっぱなしにした煙草の箱から三本を抜き出し、戸棚の中に隠し、それからカウチに戻って『火星のプリンセス』を読み始めた。母さんはやってきてテレビがついているのを目にとめたが、何も言わなかった。僕は本を開いていた。母さんは鏡の前に立って髪を軽く整え、それから台所に行った。母さんが出ていくとき、僕はまた本に目を戻した。

「もう遅刻しそう。気をつけてね」テレビのことは何も言わないことにしたみたいだった。昨夜《ゆうべ》母さんはこう言ったのだ。「心穏やかに」仕事に出かけるというのがどういうことなのか、私にはもううまく思い出せないわと。

「料理なんて作らないでちょうだいね。ガスをつける必要はありませんからね。おなかが減ったら冷蔵庫にツナが入ってるわよ」母さんは僕の顔を見た。「胃の具合が悪いのなら、何も食べない方がいいと思うけれど、とにかくガスはつけないようにしてちょうだい。わかった？　お薬を飲みなさい、坊や。そうすれば夜までには元気になると思うから。あるいは私たちみんな、夜までには元気になっているかもね」

母さんは戸口に立ってノブをまわした。もっと他に何か言いたそうだった。白いブラウスに幅広の黒いベルト、黒いスカートという格好だ。母さんはあるときにはそれを「衣裳」と呼び、あるときには「制服」と呼んだ。僕が覚えている限りでは、その服はクローゼットに吊るされているか、物干しロープにかかっているか、夜中に手洗いされているか、それとも台所でアイロンをかけられているか、そのどれかだった。

母さんは水曜から日曜まで働いていた。

「行ってらっしゃい、母さん」

母さんが車のエンジンをかけ、温め終えるのを僕は待った。車が道路に出ていく音に耳を澄ませた。それから立ち上がって、テレビの音を大きくし、煙草を取りに行った。僕は一本吸い、医者と看護婦の出てくる番組を見ながらマスターベーションをやった。それから別のチャンネルに変えた。そしてテレビを消した。テレビを見るような気分でもなかったのだ。


僕はタース・ターカスが緑の女と恋に落ちる章を読み終えた。結局、彼女はその翌朝には、嫉妬深い義兄の手で首をはねられてしまうことになるのだが。それを読むのはかれこれもう五回めだった。僕は両親のベッドルームに行って、いろいろと物色してみた。とくに何かを探すのではなく、まあコンドームでもあればなというくらいの気持ちだった。でもこれまでどれだけ丹念に探しても、そいつはみつからなかった。一度引き出しの奥にワセリンの瓶をみつけた。それはあれに何か関係のあるものだろうと僕は思った。でも何に使うのかはわからない。僕はラベルを読んで何か手掛かりを得ようと思った。そのワセリンで人は何をするのか、あるいはまたどのように使用するのか、そういうことを知りたかったのだ。でもそれはどこにも書かれていなかった。表のラベルには「純正ペトローリアム・ゼリー」と書いてあるだけだった。でもその表示を読んだだけで、僕は硬くなってしまった。裏のラベルには「育児室《ナーサリー》の必需品」とあった。育児室――ブランコと滑り台と砂場とジャングル・ジム――と、ベッドの中で男女が行うことのあいだにどんな相関関係があるのだろうと思いをめぐらせた。何度も蓋を開けて中の匂いを嗅ぎ、この前に比べてどれくらい量が減っているかを調べてみた。でも今回は僕は純正ペトローリアム・ゼリーをパスした。つまり引き出しの中にまだその瓶があることを確かめるだけにしたのだ。とくに何かがみつかるとは期待しなかったけれど、いくつか引き出しを開けてみた。ベッドの下も覗いてみた。どこにも何もなかった。両親が食品雑貨を買うためのお金を貯めておく、クローゼットの中の広口瓶も覗いてみた。小銭はなかった。五ドルと一ドル札が一枚ずつ入っていただけだ。それがなくなっていたら、すぐにわかってしまう。服を着替えてバーチ・クリークまで歩いて行こうと僕は思った。鱒釣りのシーズンはまだ一週間かそこら残っていたけれど、釣りをする人間はもうほとんどいなかった。人々は今、鹿と雉の猟の解禁に備えて英気を養っているのだ。

古い服を出した。普通の靴下の上にウールの靴下を重ねてはいた。時間をかけてブーツの紐を結んだ。ツナのサンドイッチを二つ作り、三段重ねのピーナッツバター・クラッカーをいくつか作った。水筒に水を入れ、ベルトにハンティング・ナイフと水筒を取り付けた。玄関を出るときに、書き置きを残していこうと思った。僕はこう書いた。「具合が良くなったので、バーチ・クリークに行ってくる。すぐに戻る。R。三時十五分」三時十五分にはまだ四時間ある。ジョージが学校から帰ってくるのは、その十五分後だ。家を出る前に僕はサンドイッチを一個食べ、ミルクを一杯飲んだ。

外の空気は格別だった。季節は秋だ。でも夜を別にすれば、まだ寒くはない。夜になると果樹園では霜よけのいぶし器の火を焚いた。そのせいで、朝目を覚ますと鼻の中に黒い輪っかのようなものがつくことになった。でもそれについて誰も苦情を言わない。いぶし器を焚くと若い梨が凍らずにすむ、だからしょうがないことなのだとみんなは言った。

バーチ・クリークに行くには、まず僕らの家の前の通りをいちばん先まで行く。道はそこで十六番通りに突き当たる。十六番通りを左に折れ、丘を上り、墓地の前を通り過ぎ、ずっと下って中華料理店のあるレノックスまで行く。そこの十字路から空港が見える。バーチ・クリークは空港の下の方にある。十六番通りはその十字路を越えるとヴュー・ロードに名前が変わる。ヴュー・ロードを少し進むと橋に出る。道路の両側は果樹園になっている。果樹園の横を通りかかるときに、雉たちが畝を走っているのを見かけることがある。でもそこで猟はできない。マツォスという名のギリシャ人に撃たれるかもしれないからだ。歩いて行くと四十分くらいはかかる。

十六番通りを半分くらい歩いたところで、赤い車に乗った女の人が僕の行く手の路肩に車を停めた。助手席の窓を下ろし、乗っていくかと僕に尋ねた。痩せた女で、口のまわりに小さな吹き出物があった。髪はカーラーに巻きつけられていた。でもけっこうな美人だった。茶色のセーターの下のおっぱいが目立った。

「さぼりなの？」

「ええ、まあ」

「乗っていく？」

僕は肯いた。

「じゃあ早く乗って。私、けっこう急いでるのよ」

僕は釣り竿《フライ・ロッド》とびくをバックシートの上に置いた。バックシートにも床にもメルズ・マーケットの食料品の袋がどっさりと置いてあった。何か言わなくちゃなと思って考えた。

「釣りに行くんです」と僕は言った。帽子を取り、座りやすいように水筒を前に回した。そして窓のわきに体を落ち着けた。

「人は見かけによらないものね」と女は言って笑った。そして車を道路に出した。

「どこまで行くの。バーチ・クリークかしら？」

　僕はまた肯いた。自分の帽子を見た。叔父さんがシアトルにホッケーの試合を見に行ったときにお土産に買ってくれた帽子だ。それ以上何を言えばいいのか、僕にはわからなかった。だから窓の外を見ながら頬っぺたをへっこませていた。こういう女に誘われるなんて、まさに夢見ていたとおりの展開だ。当然二人はすっかりその気になってしまう。女はうちにいらっしゃいよと誘い、そして彼女の家の中のあっちやこっちやで二人はやりまくるのだ。そんなことを考えているうちにまた硬くなってきた。僕は膝の上に帽子を移し、目を閉じた。そして野球のことを考えようとした。

「私、みんなに言い続けているのよ。そのうちに釣りを始めるからって」と女が言った。「すごくリラックスするって言うから。私、神経質なたちなのよ」

　僕は目を開けた。車は十字路のところで停まっていた。僕はこう言いたかった。

「本当にそんなに忙しいんですか？　今朝から始めてみればいいじゃないですか」と。でも彼女の顔を見るのが怖かった。

「このへんでいいかしら。私、ここで曲がらなくてはならないのよ。ごめんね。今日はちょっと先を急いでいるものだから」と女は言った。

「いいです。ここでかまいません」僕は自分の荷物を車から下ろした。帽子をかぶり、それをまた脱いで言った。「さよなら。どうも有り難う。たぶん来年の夏になったら」と僕は言いかけたが、そのあとを続けられなかった。

「ああ、釣りのこと？　ええ、きっとそうするわ」と彼女は言って、指を二本立てて振った。女の人がよくやるように。

僕は歩き始めた。自分が口にするべきだった台詞を頭の中で繰り返しながら。いろんな台詞をいっぱい思いつくことができた。なのにいざとなるとどうして駄目なんだろう？　僕は釣り竿でひゅうっと風を切って、二、三度何事かを叫んだ。まず手始めにやるべきことは、お昼御飯でも一緒にいかがですかと誘うことだったのだ。僕の家には誰もいない。そして気がつくと二人は、僕のベッドルームの布団の中にいる。セーターを着たままでもかまわないかと彼女は訊いて、かまわないよと僕は答える。彼女はズボンもはいたままだ。かまわないよと僕は言う。べつにどっちだっていいんだ。

パイパー・カブが僕の頭をかすめるようにして、飛行場に降下していった。あと数フィートで橋だった。水音も耳に届いた。僕は急いで土手に下りてジッパーを下ろし、クリークに向かってたっぷり五フィートは飛ばした。こいつはたぶん新記録だ。僕はひと休みして、サンドイッチの残りの一個と、ピーナッツバター・クラッカーを食べた。水筒の水を半分飲んだ。それから釣りにとりかかった。

どこから始めようかと僕は考えた。こちらに越してきてから三年のあいだ、僕はずっとここで釣りをしてきた。父さんはよく僕とジョージを車に乗せてここに連れてきて、僕らのことをじっと待っていたものだった。煙草を吹かし、餌を付け、針が何かに引っかかると新しいのを結びつけてくれた。僕らはいつも橋のところから始め、徐々に下流に移動していった。そしていつも二匹か三匹は釣り上げた。ときには、シーズンの初めのことだが、規定量いっぱいまで釣り上げることもあった。僕は針をセットすると、まず橋の下で何度かキャスティングしてみた。

僕は土手の下とか、大きな岩の後ろとか、あちこちに針を落としてみた。でも反応はなかった。水が静かで、黄色い葉が底に溜まったところでは、目を凝らすと、何匹かのザリガニがその醜い鋏を上にかざして這っている姿が見えた。幾重にも重なった茂みからは、鶉たちがぱっと飛び立った。棒きれを投げると、一羽の雄の雉がバタバタバタという音を立てておよそ十フィートばかり飛び上がり、おかげで僕はあやうく釣り竿を取り落としてしまうところだった。

クリークの流れは緩やかで、幅もそんなになかった。たいていどこでも長靴の中に水を入れることなく向こう岸まで渡ることができた。僕は牛の足跡でいっぱいの牧草地を横切り、大きなパイプから水が溢れ出しているところまでやってきた。パイプの下に小さな穴が穿たれていることを知っていたから、そこには注意を払わなくてはならない。釣り糸を垂らせるくらい近くまで来ると、僕は両膝をついた。針が水面に触れるか触れないかで、魚の食いつく手応えがあった。でも逃がしてしまった。そいつが針を引っかけたままぐいぐいと引くのが手に感じられた。でもそいつはそのまま逃げてしまった。糸がはねるようにひゅうと戻ってきた。新しい鮭の卵を付けて何度かキャスティングしてみた。でも一度けちのついたものはやっぱり駄目だった。

僕は土手を上り、柱に「立ち入り禁止」という札のかかった金網の下をくぐって上にあがった。滑走路のひとつはそこから始まっていた。僕は歩をとめて、舗装の割れ目に咲いている何本かの花を見た。飛行機のタイヤが舗装された地面に着地する地点を見ることができる。花のまわりには、そこいらじゅうに油まじりのタイヤ跡が残っていた。そこを越すと、またクリークに出る。僕は途中、ちょこちょこと釣りをしながら、深みのあるところまで行った。この先にはもう行けないなと僕は思った。三年前にここに来たとき、水は土手のいちばん上にまで達していて、轟々と音を立てていた。水の流れは早すぎて、とても釣りなんてできなかった。でも今の水嵩は土手からおおよそ六フィート下にあった。底がほとんど見えないくらい深いたまりの上手には短い瀬があって、水は泡立ち、はねあがりながらそこを越えた。少し下っていくと、水底はなだらかな坂のように上昇し、まるでなにごともなかったみたいにまた浅くなった。この前ここに来たとき、僕は十インチほどもあるのを二匹釣り上げ、その倍はあろうかという大物を逃がしてしまった。僕がその話をすると、そいつはサマー・スティールヘッド（夏にじます）だな、と父さんは言った。水嵩がある早春にその魚はこっちまで上ってくるんだ。でもほとんどは水位が下がる前に川に戻ってしまう。

僕は釣り糸にもうふたつ針を付け、歯でぎゅっと結んだ。それから餌として生の鮭の卵を付け、水が浅瀬から落ちてたまりになっているところに糸を落とした。そして水の流れがそれを運んでいくにまかせた。おもりが岩にとんとんと当たる感触が感じられた。魚が食いついたときとは違うとんとんだった。それから先の方がぴんと張り、流れが卵をたまりの端の方の目に見えるところに運んでいった。

こんなところまで来て何も釣れないなんて冗談じゃないなと僕は思った。前よりたっぷりと糸を引っぱり出し、もう一度キャスティングしてみた。フライ・ロッドを大きな枝の上に載せ、最後から二本めの煙草に火をつけた。そして谷間を見上げ、あの女のことを考えはじめた。女が食料品を運ぶのを手伝ってくれと言って、僕らは二人で彼女の家まで行くのだ。彼女の夫は海外に行っている。僕が手を触れると、彼女は身を震わせはじめる。カウチの上で二人でフレンチ・キスをしていると、彼女はバスルームに行きたいと言う。そのあとをついていくと、彼女がパンツを下ろして便器に腰かけるのが見えた。僕はとち狂ってしまう。彼女は僕を手招きする。僕がズボンのジッパーを外そうとしたちょうどそのときに、クリークの方でぽちゃんと音がするのが聞こえた。そちらに目をやると、フライ・ロッドの先が小刻みに揺れているのが見えた。

魚はすごく大きいというわけではなかったし、抵抗らしい抵抗もしなかった。でも僕はできるだけ長くそいつを泳がせておいた。そいつは横腹を見せて、下の方の流れに横たわってしまった。それがなんという魚なのか、僕にはわからなかった。見馴れない魚だ。僕は糸を引いて、そいつを土手の草の上に引っぱり上げた。魚はそこでくねくねと体をよじらせながらじっと宙を見ていた。鱒であることはたしかだ。でも体の色は緑色だった。そんなのを見たのは初めてだった。腹が緑色で、黒い鱒の斑があった。頭も緑で、まるで緑色の胃袋みたいに見えた。藻のような緑だった。まるで長いあいだ藻に包みこまれていたせいで、その色が体に染み込んでしまったみたいだ。身もよくついていた。どうしてもっと元気に抵抗しなかったんだろうと僕は不思議に思った。この魚、大丈夫なのかな、とも思った。僕はまだしばらく魚を見ていた。それから魚を苦痛から解放してやった。

僕は草を何本か引き抜き、びくの中に入れ、魚をその草の上に置いた。あと何度か僕は糸を投げた。それから、もう二時か三時にはなっているだろうなと思った。そろそろ橋の方に向かった方がよさそうだ。橋の下で少し釣りをしてから、家に帰ろう。そして夜になるまで、あの女のことを考えるのはよそうと思った。でも僕はすぐに、その夜になったら硬くなることを想像しただけで硬くなった。それから僕はあれをやりすぎるのをやめなくちゃなと思った。一ヵ月ほど前の土曜日の夜、ほかの家族がみんな出かけていたとき、僕はそれをやった直後に聖書を手にとって誓ったのだ。こんなこともう二度とやりません、と。でも僕は聖書に精液をつけてしまった。そしてその神聖なる誓いも一日か二日しかもたなかった。もう一度一人きりになったら、それでおしまいだった。

帰り道では釣りをしなかった。橋に着くと、草むらの中に自転車が一台あった。見回すと、ジョージくらいの大きさの男の子が土手を駆けているのが見えた。僕はそれと同じ方角に向かって歩きはじめた。すると彼は向きを変えて、川に目を向けながら僕の方にやってきた。

「おい、どうしたんだよ！」と僕は叫んだ。「何かあったのか？」でも僕の声は彼の耳には届いていないようだった。彼の釣り竿と釣りのバッグが土手の上に置いてあるのが見えた。僕は自分の荷物を下に落とした。そしてその男の子の方に駆けていった。彼は鼠とか、何かそういうものに似ていた。歯が前に出ていて、腕はがりがりで、裾のほつれたサイズの小さすぎる長袖のシャツを着ていた。

「ねえ、あんな大きな魚を見たのは本当に生まれて初めてだよ！」と彼は大きな声で言った。「ほら、ここだよ。見てごらんよ！　ここだよ、ここにいる！」

その子の指さした方を見たとたん、僕の心臓は飛び上がってしまった。

そいつは僕の腕くらいの長さがあったのだ。

「ああ、すごい、見てよ」と少年は言った。

僕はまじまじとそいつを眺めた。魚は水の上に張り出した大枝の影に身を休めていた。「すげえ」と僕は魚に向かって言った。「お前、いったいどこから来たんだ？」

「どうしたらいいだろう？」とその男の子は言った。「銃でも持ってりゃな」

「あいつを捕まえるんだ」と僕は言った。「なんてでかいんだ、まったく。とにかく浅瀬に追い込むんだよ」

「じゃあ手伝ってくれるの？　一緒にやろう」と男の子は言った。

巨大な魚は下流に向けて数フィート、ゆっくりと泳いでいった。そして澄んだ水の中に留まって、ゆっくりと尾を動かしていた。

「オーケー、それでどうするの？」

「俺は上流に行って、クリークを下ってくる。そしてあいつを追い立てる」と僕は言った。「お前は早瀬に立っていろ。あいつがそこを通り抜けようとしたら、足で蹴とばして死ぬほど脅かしてやるんだ。そして何がなんでもあいつを土手の上に放りあげるんだ。あとはただしっかり捕まえて、しがみついていればいい」

「わかった。ああ畜生、あれ見てよ！　ねえ、あいつどこかに行っちまうよ。どこに行くんだろう？」と少年は大声で叫んだ。

魚はクリークをまた上流に向かって進み、土手の近くで止まった。「どこにも行きゃしないさ。行き場所がないんだよ。見たか？　あいつは死ぬほど怯えてる。あいつは俺たちがここにいることを知っている。どこか逃げ場はないものかと思って、その辺をただぐるぐると回っているだけだ。ほら、また止まっただろう。どこにも逃げ場がないんだ。そしてそのことは自分でもわかってる。あいつは俺たちが自分を追い詰めようとしていることも知っている。それが生半可なものじゃないこともな。俺は上流に行って、あいつを脅して追い立てる。ここを抜けようとしたら、しっかりと押さえこむんだぞ」

「銃があったらなあ」と男の子は言った。「あいつを仕留められるのにな」

僕は少し上流に行った。そしてクリークに入って、ばしゃばしゃと歩いて下流に向かった。行く手の少し前方に目を向けていた。突然魚が土手から飛び出してきて、僕の前で大きな濁った渦を巻いて右に旋回した。そしてものすごい勢いで下流に向かった。

「そっちに行くぞ！」と僕は怒鳴った。「おーい、いいか、そっちに行ったぞ！」しかし魚は浅瀬の手前でくるりと向きを変えて、こちらに戻ってきた。僕は水しぶきをあげ、大声を出した。するとそいつはまた向きを転じた。「さあ、行ったぞ！　捕まえろ、捕まえるんだ！　行ったからな！」

でもその脳足りんは棍棒を手にしていた。どうしようもない間抜けだ。そして魚が浅瀬にさしかかったとき、言われたとおりに足で蹴って追うのではなく、棒を持って襲いかかったのだ。魚は向きを変え、半狂乱になって、体を横倒しにして浅瀬を越えてしまった。あちらに抜けてしまったのだ。その間抜けの餓鬼は魚に襲いかかろうとして、足を滑らせて転んだ。

彼はぐしょ濡れになって土手の上に這いあがった。「あいつを叩いたよ」と少年は叫んだ。「傷ついたと思うよ。魚に触ったんだ。でもしっかり捕まえられなかった」

「触ったわけなんかないだろうが！」と僕は息を切らせて言った。こけていい気味だと思った。「そばにも寄れなかったじゃないか、このうすのろ。棍棒なんか持っていったいどういうつもりなんだ。蹴とばせって言ったろうが。あいつは今ごろはもう一マイルも向こうに行っちまってるよ」僕は唾を吐こうとした。そして頭を振った。「まったくもう。とにかく逃がしちまった。もう捕まえることはできないかもしれない」

「冗談じゃないぜ。僕はあいつを叩いたんだよ！」と少年は金切り声をあげた。「見てなかったのかい？　僕はあいつを叩いて、体にだって手をかけたんだ。あんた近くで見てたわけじゃないだろう。それにだいたいあの魚は誰のものなんだよ？」少年は僕の顔を見た。水がズボンの上を垂れて、靴の上にぽたぽた落ちていた。

僕はそれ以上は何も言わなかった。でもそれについて考えてみた。そして肩をすくめた。「まあ、いいさ。魚は俺たち二人のものだろう。今度はきっちりと捕まえようじゃないか。お互いもう、どじはなしだぜ」と僕は言った。

僕らは水の中を歩いて下流に向かった。僕の長靴の中には水が入っていた。でも男の子の方は首までぐしょ濡れだった。彼はがたがた音を立てないように、出っ歯で唇をぎゅっと噛みしめていた。

魚は早瀬の下の流れにもいなかった。その次の流れの中にもその姿は見当たらなかった。僕らは顔を見合わせた。魚はもうずっと下流の方にまで逃げて、深い穴を見つけたのかもしれないなと思った。でもまさにそのとき、そいつが土手の脇で身をくねらせた。尾を振って、なんと土を水の中にどぼんと落としたのだ。そしてまた前進を始めた。魚はもうひとつ浅瀬を越えた。大きな尾びれが水の上に突き出ていた。僕はそいつが土手の脇をゆっくりと泳ぎ、そして止まるのを見た。尾の半分は水の上に突き出て、流れに対して位置を保持するためにゆっくりと振られていた。

「見えるか？」と僕は言った。男の子はそっちに目をやった。僕は彼の手を取り、その指をそっちの方向に向けてやった。「ほら、あそこだよ。いいか、よく聞けよ。俺はあの土手のあいだの小さな流れのところまで行く。言ってること、わかるか？　俺が合図するまでここでじっとしているんだぞ。合図したら歩き出すんだ。いいか、もしあいつが回れ右しても、今度は通り抜けさせるんじゃないぞ」

「わかったよ」と男の子は言って、例の歯で唇をぎゅっと噛みしめた。「今度こそ捕まえてやるぞ」と彼は言った。その顔は寒さで震えあがっていた。

僕は土手の上にあがり、音を立てないようにこっそり歩いた。そしてまた土手をおりて、水の中にそっと足を踏み入れた。でもそのでかい畜生はどこにも見当たらなかった。僕の心臓は引っくり返ってしまいそうだった。そいつはもうどこかに行ってしまったのかもしれないと思ったのだ。もう少し下流まで行くと、そこには穴があり、そうなるともう奴を捕まえることができなくなってしまう。

「あいつはまだそこにいるのか？」と僕は怒鳴った。僕はじっと息をこらした。

男の子が手を振った。

「よし、いいぞ！」と僕はまた怒鳴った。

「行くよ！」と男の子も怒鳴りかえした。

僕の手ががくがくと震えていた。クリークの川幅は三フィートほどで、両岸は土の堤になっていた。水は浅いが流れは速かった。男の子は下流に向かって進んでいた。膝まで水につかり、前方に向かって石を投げていた。ばしゃばしゃとしぶきを立てて、叫び声をあげていた。

「そっちに行ったよ！」男の子は両腕を振って言った。魚の姿が見えた。そいつはまっすぐ僕の方に向かってやってきた。奴は僕の姿を目にして向きを変えようとした。でもそうするには遅すぎた。僕は膝をついて、冷たい水の中に手を突っ込んだ。両手と両腕を使ってそいつを抱えあげ、ちょっとずつ上に上にと持ち上げ、水の中から放り出した。僕と魚は組み合ったまま土手の上に倒れこんだ。僕は奴をずっとシャツの上から押さえこんでいた。魚は身をくねらせ、のたうちまわっていた。でもやっとのことで、そのつるつると滑る脇腹にそって鰓のところまで両手を持っていくことができた。僕は片手をその中に入れて、口のところまで突っ込み、顎を思い切り押さえこんだ。さあ捕まえたぞ、と思った。魚はそれでもまだぴちぴちと跳ねて、押さえつけているのはひと苦労だった。でもとにかく僕はこいつを捕まえたのだし、何があろうと放したりはしない。

「捕まえたぞ！」と男の子は叫びながら、水しぶきを立ててやってきた。「わあ、捕まえたぞ。すごいや、こいつは！　やったね。ねえ、僕にも持たせてよ、それ！」と彼は叫んだ。

「まず息の根を止めるんだ」と僕は言った。もう片方の手を喉に這わせた。そしてそいつの歯に注意しながら、頭を思い切り後ろに引いた。ぼきっという重い手応えがあった。魚はぶるぶるっと長く、ゆっくりと震え、それから静かになった。僕は魚を土手の上に横たえ、二人でその姿を眺めた。長さは少なく見積もっても二フィートはあった。ひどく痩せてはいたが、それでも僕がこれまでに釣り上げたどんな魚より大きかった。僕はもう一度その顎を手に取った。

「ねえちょっと」とその子は言いかけたが、僕がやろうとしていることを見て取ると、それ以上はもう何も言わなかった。僕は血を洗い流してから、魚をもう一度土手の上に戻した。

「その魚、何がなんでもお父さんに見せなくっちゃ」と男の子は言った。

僕らはぐしょ濡れになってぶるぶる震えていた。僕らは魚を見ながら、その体に触りつづけていた。大きな口をこじ開けて、歯並びを触ってみた。魚の体の両側には傷がついていた。二十五セント硬貨くらいの大きさの、ぷっくりと膨れ上がった白いみずばれがあった。頭の外側の目のまわりと、吻《ふん》のところには、刻み目のような傷がいくつかあった。それは岩にぶつかったり格闘したりしたときについたものなのだろうと推測できた。でもそいつは本当に痩せていた。体長に比べると、あまりにも痩せすぎていた。体の両脇のピンクの線だってもうほとんど見えなくなっていた。白くてぴちぴちしているはずの腹は、灰色でたるんでいた。でも、それにしたってこいつは大物だと僕は思った。


「もうそろそろ引きあげようや」と僕は言った。そして丘の上に浮かんだ雲を見た。太陽はもうそこに沈みかけていた。「家に帰らなくっちゃ」

「そうだね。僕も帰らなくっちゃ。体が凍ってしまいそうだよ」と男の子は言った。

「ねえ、僕がその魚を担いでいきたいな」

「何か棒を持ってこよう。そいつを口から通して二人で担いでいけばいい」と僕は言った。

男の子が棒をみつけてきた。僕らはそれを鰓の中に突っこみ、魚の体が棒の真ん中にくるようにした。そしてそれぞれ棒の両端を持ち、魚がゆらゆらと揺れる姿を見ながら帰路についた。

「こいつをどうするんだよ?」と男の子が尋ねた。

「どうしたものかな」と僕は言った。「こいつを捕まえたのは俺だよな」と僕は言った。

「二人で捕まえたんじゃないか。それに最初にみつけたのは僕だぜ」

「それはたしかにそうだ」と僕は言った。「投げ銭か何かそういうので決めようか」

僕は空いた方の手で小銭を探した。でも一枚も持ち合わせていなかった。それにもし僕が負けでもしたら、いったいどうするんだ。

でもいずれにせよ、男の子は首を振った。「投げ銭なんて嫌だね」

「オーケー、嫌なら嫌でいいさ」僕はその男の子を見た。髪の毛は上に突っ立って、唇は白くなっていた。必要とあらば腕ずくで取り上げることはできる。でもできれば荒っぽいことはしたくなかった。

僕らは荷物を置きっぱなしにしたところまで来て、それぞれの荷物を片手で拾いあげた。どちらも棒の端を離さなかった。それから彼が自転車を置いたところまで二人で歩いた。僕は相手が何かしようとしたときのために、棒を固く握りしめていた。

それから僕はひとつの案を思いついた。「半分に分けようじゃないか」と僕は言った。

「どういうことだよ？」と男の子は言った。彼の歯はまたがちがちと音を立てていた。彼が棒をぎゅっと握りしめるのが感じられた。

「半分に分けるんだよ。俺はナイフを持っている。真ん中から切って、半分ずつ持って帰るんだ。よくわかんないけどさ、そうするしかないだろう」

彼は髪の毛を一筋引っぱりながら、魚を見た。「あんたのナイフを使うのかい?」

「お前持ってるのか?」と僕は尋ねた。

男の子は首を振った。

「じゃあ決まりだ」と僕は言った。

僕は棒を抜き取って、男の子の自転車の脇の草の上に魚を置いた。そしてナイフを取り出した。分割する線の位置を計っているときに、飛行機が一機滑走路を移動してきた。「ここでいいか?」と僕は言った。男の子は肯いた。飛行機は大きな音を立てて滑走路を走り、機首を上げて僕らの頭の真上を飛んでいった。僕は魚を切りにかかった。はらわたの部分まで来ると、魚を引っくり返して、中のものを残らずとっぱらった。そして腹の皮一枚だけでかろうじて体がひとつに繋がっているというところまで切っていった。両手に魚の半分ずつを持って、感触を確かめてから、それをふたつにちぎった。

僕は尾の方を男の子に渡した。

「嫌だね」と彼は首を横に振りながら言った。「そっちの半分の方がいいよ」

僕は言った、「そんなのどっちだって同じだろうよ。なあ、いいか、いつまでもそんな文句ばかり言ってると、俺だって頭に来ちゃうぜ」

「来たってかまうもんか」と男の子は言った。「もしどっちだって同じなんなら、僕は頭の方をもらうよ。だってどっちだって同じなんだろう？」

「どっちだって同じさ」と僕は言った。「でも俺はこっちをもらう。切ったのは俺なんだからな」

「僕はそっちが欲しい」と男の子は言った。「僕がそいつを最初にみつけたんだ」

「誰のナイフを使ったんだ？」と僕は言った。

「尻尾の方なんて嫌だね」と男の子は言った。

僕はまわりを見渡した。道路には車の姿は見えなかった。釣り人もいない。ぶーんという飛行機の低い唸りが聞こえた。太陽は沈もうとしていた。僕の体はすっかり冷えこんでいた。男の子もがたがたと激しく震えながらそこに突っ立っていた。

「いい考えがある」と僕は言った。びくを開けて、彼に鱒を見せた。「ほら緑色の奴がいるだろう。緑色の奴なんて、俺も見たの初めてだよ。それでだな、どっちかが頭の方を取ったら、もうひとりは尻尾の方の半分とこの緑の奴を取るんだ。それで公平じゃないかな」

男の子はその緑の鱒を見て、びくから取り出し、手に取った。そして半分に切られた魚をしげしげと見た。

「そうだね」と彼は言った。「オーケー、それでいいや。あんたがそっちの方を取ればいいよ。僕は身が多い方がいい」

「決まりだ」と僕は言った。「今綺麗に洗うよ。お前、家はどっちの方なんだ？」

「アーサー・アヴェニュー」彼は緑の鱒と魚の半分を汚らしいキャンバスの袋に入れた。「どうしてさ？」

「どの辺だよ。野球場のあたりか？」と僕は訊いた。

「ああ。でもどうしてって尋ねたんだよ」男の子はびくついているみたいだった。

「俺、その近くに住んでるんだ」と僕は言った。「だから一緒に自転車に乗せていってもらえないかと思ってさ。かわりばんこにこげばいい。俺、モクも持ってるんだ。一緒に吸えるぜ。水がかかってなきゃいいんだけどな」

でも男の子は「寒くて死にそうだよ」と言っただけだった。

僕は自分のぶんの魚をクリークの水で洗った。そのでかい頭を水につけて、口を開けた。水は口から入って、残された体の端っこから出ていった。

「凍えちゃうよ」と男の子は言った。

ジョージが通りの向こう端で自転車に乗っているのが見えた。ジョージは僕には気がつかなかった。僕は長靴を脱ぐために裏口に回った。肩から下げていたびくをはずして蓋が開けられるようにし、満面の笑みを浮かべ、家の中に堂々と凱旋する用意をした。

彼らの声が聞こえたので、窓の中を覗きこんでみた。二人はテーブルに就いていた。台所は煙でいっぱいだった。それはレンジの上のフライパンから上がっている煙だった。でも二人ともそんなことには構いもしなかった。

「俺がお前に言ってるのは絶対的な真実だ」と父さんは言った。「子供たちがどこまで知ってるのか？　今にわかるさ」

母さんは言った、「私には何もわかりゃしないわ。そんなこと考えるくらいなら、子供たちはいっそのこと死んでしまった方がいいわよ」

父さんは言った、「おい、なんていうことを言うんだ。言葉を慎め！」

母さんは泣きはじめた。父さんは煙草を灰皿にぎゅっと押しつけ、立ち上がった。

「おいエドナ、フライパンが煙あげてるじゃないか」と父さんは言った。

母さんはフライパンを見た。椅子を後ろに引き、フライパンの柄をつかむと、それを流しの上の壁に向かって投げつけた。

父さんは言った、「お前、気でも狂ったのか？　なんてことするんだ、まったく」

彼は布巾を取って、フライパンからこぼれたものを拭きはじめた。

僕は裏のドアを開けた。そして顔に笑みを浮かべた。僕は言った、「ねえ、バーチ・クリークで何を釣り上げたと思う？　ほら、見てよ。これを見てごらんよ。僕がとったんだぜ」

僕の脚は震えていた。立っているのがやっとだった。僕はびくを母さんの前に差し出した。母さんはやっと中を覗き込んだ。「わあ、何よこれはいったい！　蛇じゃない！　おねがい、どこかにやって。吐きそうだわ」

「外に持っていくんだ！」と父さんが叫んだ。「お母さんの言ったことが聞こえないのか。外に持っていけったら」

僕は言った、「だってお父さん、これを見てよ」

父さんは言った、「そんなもの見たくない」

僕は言った、「バーチ・クリークでとれた馬鹿でかいサマー・スティールヘッドだよ。見てよ。ちょっとしたものだと思わない？　ちょっとしたばけもの（ヽヽヽヽ）だよ。死にものぐるいでクリークじゅう追っ掛けまわしたんだ」僕の声は興奮して震えていた。でも喋るのをやめられなかった。「この他にももう一匹とったんだ」と僕は早口で喋りつづけた。「緑色の奴なんだよ。ほんとに。緑色だぜ！　緑の鱒なんて見たことある？」

父さんはびくの中を覗きこんだ。そして口をぽかんと開けた。

彼は大声をあげた。「こんなもの、どこかに持っていけ。お前、頭がいかれたんじゃないのか？　台所にこんなもの持ち込む奴があるか。さっさとごみ箱に捨ててくるんだよ！」

僕は外に出た。そしてびくの中を覗きこんだ。そこにあるものはポーチの光の下では銀色に見えた。そこにあるものでびくはいっぱいになっていた。

僕はそいつを持ち上げた。そいつをじっと持っていた。僕はそいつの半分をじっと手に持っていた。

60エーカー

Sixty Acres

電話は一時間前にかかってきた。彼らはちょうど食事をしているところだった。トペニッシュ・クリークのリー・ウェイトの所有地の、カウィッチ・ロードの橋の下手のあたりで、二人の男が鉄砲を使って猟をしているというのだ。あの土地に誰かが入りこんだのは、この冬になってもう三度めか四度めだぞ、とジョゼフ・イーグルがリー・ウェイトに念を押すように言った。ジョゼフ・イーグルは年老いたインディアンで、カウィッチ・ロードから少し奥まった狭い土地にある政府の貸与地で、ラジオと電話を持って暮らしていた。朝から晩までラジオを聞いていたし、電話は体の具合が悪くなったときのためのものだった。リー・ウェイトとしては、その土地のことで老インディアンにあれこれと言われたくはなかった。とにかく毎度毎度電話をかけてこられるのは迷惑だった。

ポーチに立って、リー・ウェイトは片っぽうの脚に体重を乗せながら、歯のあいだにはさまった肉の筋を取った。彼は小柄な痩せた男だった。ほっそりとした顔つきで、黒い髪を長くのばしていた。その電話さえかかってこなければ、午後にひと眠りするつもりだったのだ。彼は顔をしかめ、のろのろと時間をかけてコートを着た。いずれにせよ、現地に着く頃にはもうそいつらは姿を消してしまっているだろう。いつもそうなのだ。トペニッシュかヤキマから来たハンターたちは、他のみんなと同じように、居留地の道を車で通行することができる。猟が禁じられているだけだ。彼らは車でその彼の所有地を二度か、あるいは三度ばかり行ったり来たりする。誰も住んでいない、よだれの出そうな60エーカーの土地だ。いっちょうやってやれという気分になれば、彼らは道路わきの木立の中に車を隠すように停め、膝の高さまで茂った大麦やカラスムギをかきわけながら急ぎ足でクリークの方に向かう。鴨を何羽かしとめるかもしれない。しとめないかもしれない。でも引きあげるまでの短時間に、彼らはいつも景気よくばんばんと撃ちまくった。ジョゼフ・イーグルは家の中に不自由な脚を抱えて座りこみ、そういう連中の姿をいやというほど目にすることになった。とにかく彼はリー・ウェイトにはそう言っていた。

彼は舌の先で歯の掃除をし、目を細くしてもう夕方も近い冬のくぐもった光を見た。彼は怖がっているわけではなかった。別に怖くはない、と彼は自分に言い聞かせた。トラブルに巻き込まれたくないだけなんだ。

戦争のほんの少し前に建て増しされた小さなポーチはもうほとんど暗くなっていた。たった一枚の窓ガラスは何年か前に割れて、ウェイトはその穴の上に砂糖大根を入れる袋を釘で打ちつけた。それがキャビネットの隣に垂れ下がっていた。ごわごわとした生地は凍りつき、端っこの隙間から冷たい風が吹き込むたびに、ぱたぱたと細かく揺れた。壁は古いくびきや馬具でぎっしりといっぱいだった。そして一方の壁の窓の上方には、錆びた工作道具が一列に並べられていた。彼はもう一度舌で歯をさらい、頭上のソケットの電球をひねって点け、キャビネットを開いた。そして奥の方から旧式のダブル・バレルの銃を取り出した。一番上の棚の箱から薬莢をひとつかみ取った。薬莢の真鍮の底はひやっと冷たかった。彼はそれを手の中でじゃらじゃらと転がしてから、羽織っている古いコートのポケットに滑り込ませた。

「弾丸は込めないの、パパ？」と息子のベニーが背後から声をかけた。

ウェイトは後ろを振り向いた。ベニーと小さなジャックがキッチンの戸口に立っていた。電話がかかってきて以来、二人は彼のあとをついてまわっていたのだ。今度は彼が誰かを撃つことになるのかどうかが知りたくて。そうなればいいのにと思っているみたいだった。子供たちのそんな口調は彼をうんざりさせた。子供たちは戸口に立って、寒風を家の中に吹きこませながら、彼が小脇に抱えた大きな銃をじっと見ている。

「お前たち、さっさと中に入るんだ」と彼は言った。

二人はドアを開けっぱなしにしたまま、彼の母親とニーナのいる場所に走って戻り、そのままベッドルームに引っ込んでしまった。ニーナがテーブルで赤ん坊になんとかかぼちゃを食べさせようと苦労している姿が見えた。赤ん坊は後ろに身を反らせて、首を振っていた。ニーナは顔を上げて、微笑もうとした。

ウェイトはキッチンに入ってドアを閉め、そこに寄り掛かった。彼女が疲れきっていることは、一目見ればわかった。唇の上には汗が玉のように一列に並んで光っていた。じっと見ていると、彼女は動作をやめて、額にかかった前髪を払った。彼女はまた彼を見上げて、それから赤ん坊の方に目を戻した。以前妊娠していたときは、こんなに辛そうではなかった。じっと静かに座っていることがなかなかできなくて、勢いよく立ち上がってはその辺をうろうろ歩きまわっていたくらいだった。食事の準備と縫いもの以外にやることがたいしてないときでさえだ。彼は首のまわりの余った肉を指でつまみながら、食事が終わってからずっとストーヴの横の椅子でうたた寝をしている母親の方をちらっと見た。彼女は目を細く開けて彼を見て、こくんと肯いた。七十歳で、しわだらけだったが、髪の毛だけはまだカラスの羽根のようにまっ黒だ。それはきつく結ばれた二本の長いおさげになって、肩の前に垂れていた。リー・ウェイトは母親には何か具合の悪いところがあると考えていた。というのは時折、彼女は二日くらいずっと口もきかずにいることがあったからだ。もうひとつの部屋の窓際に座って、遠くの谷の方をじっと見ているだけだ。そんな風にしていられると、寒気がした。そんな母親のさりげない徴候やしるし、あるいはその沈黙の意味するものが、彼にはもうまったくわからなくなってしまっていたのだ。

「どうして口をきかないんだよ」と彼は頭を振りながら尋ねた。「そんなふうに黙りこんでいたら、何が言いたいのか俺にだってわからないじゃないか、母さん」ウェイトはしばらく母親の顔を見ていた。彼女がおさげ髪の先を引っぱるのを眺めながら、何か言い出すのを待った。やがて溜め息をつき、母親の前を横切って、壁に掛かった帽子を手に取り、外に出た。

外は寒かった。三日前に降ったさらさらした雪が一インチか二インチの厚さであたり一面をおおい、地面をでこぼこにしていた。雪のおかげで、家の前に何列にも並んだ、いま丸裸になった豆づくりのための支柱は、いささか間が抜けて見えた。ドアの開く音がすると、犬があたふたと家の床下から這いでてきて、後ろも見ずにトラックの方に走っていった。「こっちに来い！」とウェイトはきつい声で叫んだ。彼の声は希薄な空気の中で弧を描いた。

前かがみになって、彼は犬の乾いた鼻先を手でつかんだ。「今日はお前は留守番していろ。よしよし」彼はそう言って犬の耳をぱたぱたと前後に撫でながら、まわりを見た。どんよりとたれこめた雲のせいで、谷の向こう側にあるセイタス・ヒルは見えなかった。砂糖大根の畑が、波打つような格好でひらべったく続いているのが見えるだけだった。畑はまっ白だったが、雪が積もらなかったところどころが黒く露出していた。視界内にある家はひとつきりしかない。ずっと向こうのチャーリー・トレッドウェルの家だが、明かりは見えなかった。あたりには物音ひとつない。低く垂れた雲が、地上の万物を押さえつけているだけだった。風が吹いているだろうと彼は予想していたのだが、実際には空気は静止していた。

「お前はここに残るんだ。わかったか?」

行かずに済ませることができたらな、ともう一度考えながらトラックの方に向かった。彼は昨夜また夢を見たのだ。どんな夢かは思い出せない。でもそのおかげで目が覚めてからずっと気持ちが落ち着かなかった。彼はロー・ギヤでゲートのところまで進み、車を下りて扉を開けた。外に出るとまた車を下りて扉を閉めた。もう馬は飼っていなかったが、習慣は身にしみついていた。扉はいつも閉めておくこと。

途中で地ならし車が道を掘り返しながらやってくるのに出あった。金属の刃が凍りついた地面を打つたびに、すさまじい悲鳴をあげた。彼はべつに急いでいなかったから、わきに車を停めて、それがやってくるのをずっと待っていた。運転台に乗っている男たちの一人が手に煙草を持ったまま身を乗り出し、通り過ぎるときに手を振った。でもウェイトは目を合わせないようにした。彼らが通り過ぎてしまったあとで、道路に車を出した。チャーリー・トレッドウェルの家の前を通るときにそちらに目をやったが、まだ明かりはついていなかった。車の姿もなかった。彼は二、三日前にチャーリーから聞いた話を思い出した。先週の日曜日の午後にどこかの子供が彼の家のフェンスを乗り越えて入ってきて、大納屋のすぐそばにある池の鴨を撃った。彼はその子供と口論をした。毎日午後になると鴨は池にやってくるんだよ、とチャーリーは言った。鳥たちは私のことを信頼しているんだ、と彼は言った。まるでそれがすごく大事なことであるみたいに。彼は納屋の中で乳しぼりをしていたのだが、腕を振り回して怒鳴りながら走って外に出てきた。するとその子供は彼に銃をつきつけたのだ。もしあの銃さえなかったら俺だってなあ、とチャーリーは言いながら、見える方の目でウェイトの顔をじっと見つめ、こっくり肯いた。ウェイトは座席の上でちょっと身をひねった。彼はそういうごたごたがまったく好きではなかった。相手が誰であれ、自分がそこに着いたときにはもう誰もいなければいいのになと思った。これまでそうだったように。

左に向かって進んで、フォート・シムコーを通り過ぎた。改築された柵のなかに並んだ古びた建物の白いペンキ塗りの屋根が見えた。入口の扉は開いており、リー・ウェイトはそのなかに駐められた車と、コートを着て歩いている何人かの人たちの姿を見た。彼はわざわざ車を停めたりはしなかった。昔、教師が子供たち全員をここに連れてきたことがあった。それを見学遠足と彼女は呼んだ。でもその日、ウェイトは学校に行かずに家に籠っていた。彼は窓を開け、咳払いをした。そして前を通り過ぎるときに門に向かってぺっと唾を吐いた。

B支線に入って、ジョゼフ・イーグルの土地に着いた。家じゅうの電灯がついていた。ポーチの明かりまでついていた。ウェイトはその前を通り過ぎ、カウィッチ・ロードと合流する地点まで行ってそこでトラックを下り、耳を澄ませた。連中はもう行ってしまったようだし、このまま回れ右して家に帰れそうだなと思いはじめたまさにそのときに、野原のずっと向こうの方から、鈍くくぐもった一群の遠い銃声が聞こえてきた。彼はちょっと待ってからぼろきれを手に取り、トラックの前にまわって窓の隅についた雪と氷を拭い落とそうとした。車に乗る前に靴の裏についた雪を蹴って落とした。そして橋の見えるところまで車を進め、たぶんこの辺だろうと見当をつけて、林の中に消えている車のタイヤの跡を探した。彼はそのグレイのセダンの後ろに車を停めて、イグニション・スイッチを切った。

トラックの中に座って、彼は待った。ブレーキ・ペダルの上で足を前後にきゅきゅっと動かしながら、時折聞こえてくる密猟者たちの銃声を聞いていた。でもすぐにじっとしていられなくなって、車から下りた。そしてゆっくりと歩いて車の前に回った。考えてみれば、この四年か五年というもの、このあたりに足を運んだことはなかった。彼はフェンダーにもたれて、その土地を見渡した。そんな長い歳月がいったいどこに消えてしまったのか、見当もつかない。

彼は自分がまだ幼かった頃のことを覚えていた。早く大人になりたいと思っていた頃のことを。よくここに来て、クリークにマスクラット用の罠をしかけ、ジャーマン・ブラウンを狙ってひと晩釣り糸を流しておいたものだった。ウェイトはあたりを見回し、靴の中でもそもそと足を動かした。なにもかも大昔の話だ。まだ子供の頃、この土地は三人の息子に残してやるつもりだ、と父親が言うのを耳にした。でも二人の兄はどちらも殺されてしまった。リー・ウェイトが一人でこの土地をそっくり継ぐことになった。

彼は兄たちの死を記憶していた。ジミーが最初だった。ドアをがんがんと叩く大きな音で彼は目を覚ました。あたりは暗く、ストーヴからは樹木のやにの匂いがした。外に車がいた。ライトもエンジンもつけっぱなしだった。雑音まじりの声が車の中のスピーカーから聞こえた。父親が急いでドアを開けた。カウボーイ・ハットをかぶって拳銃を下げた巨大な男が戸口をふさぐように立っていた。郡の保安官代理だった。「ウェイトさん？　おたくの息子さんのジミーが、ワパトのダンス・パーティーで刺された」みんなはトラックに乗って行ってしまい、リーがひとりで残された。薪ストーヴの前にうずくまって、壁の上に踊る影を見つめながら、ひとりぼっちの夜を過ごした。彼が十二になったときに、また男がやってきた。別の保安官だった。彼は、ちょっと来てくれませんかね、と言っただけだった。

彼は車から離れて、野原の端の方まで数フィート歩いた。いまでは事情は変わってしまった。単にそれだけのことなのだ。彼は三十二で、ベニーとちびのジャックは大きくなっている。赤ん坊もいる。ウェイトは首を振った。丈の高いミルクウッドの茎を手で握った。その首のところをぽきんと折り、頭上に鴨のコッコッという柔らかな声が聞こえると上を見上げた。ズボンの裾で手を拭い、しばらくのあいだ鳥たちの動きを目で追った。彼らは全員が同じタイミングで羽ばたきを止め、クリークの上で一度輪を描いた。それからぱっと散った。銃声が耳に届いたのは、三羽が落ちたあとだった。

彼は身を翻してトラックに向かった。

車の中から銃を取り出し、音を立てないようにドアを閉めた。そして林の中に入った。あたりはすっかり暗くなっていた。彼は一度だけ咳をして、そのあとはしっかりと唇を結んだ。

彼らは茂みをかきわけるようにしてやってきた。二人づれだった。きいきいと音を立てて揺れる柵を乗り越えて野原に下り、雪を踏みしめて歩いてきた。車のところに来たときには二人とも息が激しかった。

「おい、あんなところにトラックが停まってるぞ！」と一人が言って、手にしていた鴨を地面に落とした。

子供の声だ。彼は分厚いハンティング・コートを着ていた。獲物を入れるためのポケットが鴨のかたちにぷっくりと膨らんでいるのが遠目に見てとれた。

「落ち着けったら！」もう一人の少年はそこに立って、何かが見えないものかとまわりをぐるっと見渡した。「急げ！　トラックには誰もいないぞ。早く車に乗るんだ！」

身動きせずに、声が乱れないように気をつけながらウェイトは言った。「そこを動くな。銃を下に置け」彼は林の中から出て、二人と向かい合い、銃身を上下させた。「コートを脱いで、中身を開けろ」

「ああ、なんてこった！」と一人が言った。

もう一人は何も言わずにコートを脱ぎ、中から鴨を引っぱり出しはじめた。まだまわりの様子をうかがいながら。

ウェイトは彼らの車のドアを開けた。そして中を探ってヘッドライトのスイッチをみつけた。少年たちは手を上げて目を覆った。そして光に背中を向けた。

「おい、お前ら、ここを誰の土地だと思ってるんだ？」とウェイトは言った。「俺の土地で鴨を撃つってのはいったいどういう料簡なんだ？」

少年の一人が手を顔の前にかざしたまま用心深く振り向いてこっちを見た。「どうするつもりなんですか？」

「さあ、どうするつもりだろうな」とウェイトが言った。彼の声は彼自身にも奇妙に聞こえた。軽くて、実体がない。鴨たちがクリークに舞いおりる音が聞こえた。彼らはまだ空の上にいる仲間に向かって何かを告げるように鳴いていた。「俺がお前らをいったいどうするつもりだと思う？」と彼は言った。「もしお前らが、勝手に自分の土地を歩きまわっている餓鬼どもをとっ捕まえたらどうするね？」

「もしそいつらがちゃんと謝って、それが初めてのことだったら、見逃してやります」と少年は答えた。

「僕もそうします。ちゃんと謝ったら」ともう一人の少年が言った。

「そうかな。お前ら本当にそうするかな」ウェイトには自分が時間を稼いでいることがよくわかっていた。

二人は返事をしなかった。彼らは眩しい光の中にじっと立っていたが、やがてまた後ろを向いた。

「お前らが前にここに来なかったってどうして俺にわかる？」とウェイトは言った。「俺はこれで何度も足を運ばされたんだ」

「誓います。僕らはここに来たのは本当に初めてです。ちょっと通りかかっただけなんです。本当です」少年はしくしく泣いていた。

「本当にそのとおりです」ともう一人の少年が言った。「誰だってできごころというものがあるじゃないですか」

もう日は暮れていた。ヘッドライトの中を霧雨の細い線が走っていた。ウェイトはコートの襟を立て、少年たちを見つめた。クリークの方から雄鴨のガアガアという耳ざわりな声が聞こえてきた。まわりの不気味な木々のかたちに目をやった。それから再び少年たちを見た。

「あるいはそうかもしれん」と彼は言って、足を動かした。俺はこいつらを結局見逃してやるだろうと彼は思った。他にやりようもないのだ。彼らがこの土地に近づかないようにする、それが肝心なことなのだ。「ところでなんていう名前だ？　お前、なんて言うんだ？　おい、これはお前の車なのか？　名前を言え」

「ボブ・ロバーツ」と一人の少年が素早く答え、ちらっと横目でもう一人を見た。

「ウィリアムズです」ともう一人が言った。「ビル・ウィリアムズです」

二人ともまだ子供なんだとウェイトは自分にいいきかせた。怯えているから嘘をついているんだと。二人は彼に背中を向けたままそこに立っていた。ウェイトは彼らを見ていた。

「出鱈目言うんじゃねえよ！」と彼は言った。自分の声に驚いたほどだった。「よくもまあいけしゃあしゃあと嘘を並べやがって。お前らは俺の土地に入って、俺の鴨を撃って、そのうえ大嘘までつきやがる」彼は銃身を安定させるために銃を車のドアの上に置いた。木の上の方で枝のこすれる音が聞こえた。明かりをつけた家の中にじっと座っているジョゼフ・イーグルのことをふと思った。両足を箱の上に載せ、ラジオを聞いている。

「そうかい、そうかい」とウェイトは言った。「嘘つきどもめ、お前らそこにじっとそうやって立ってろ」彼はこわばった足取りでトラックの方に行って、砂糖大根を入れる古い袋を取り出した。振って口を開き、鴨を全部そこに詰めさせた。じっと立って待っていると、彼の両膝は理由もなくがくがくと震えはじめた。

「さあとっとと行け、早く消えちまえ！」

彼は一歩さがって、二人が車に乗り込むのを見ていた。「俺は道のところまで行く。お前らも一緒に来るんだ」

「わかりました」と少年の一人が運転席に素早く乗り込んで言った。「でももし車が動かなかったらどうします？　バッテリーが上がっちゃってるかもしれない。もともとバッテリーがへばり気味なんです」

「さあ、どうするかな」とウェイトは言った。彼はまわりを見回した。「そうなったら、押して出すしかなかろうよ」

少年はライトを消し、アクセルを踏み込んでからスターターを回した。エンジンの回転はのろかったけれど、なんとかうまくかかった。少年は片足をペダルの上に載せ、エンジンを空ふかししてからもう一度ライトをつけた。ウェイトは、車の中から様子をうかがうように自分をじっと見ている少年たちの、寒さで青ざめた顔を検分した。

彼は鴨を入れた袋を投げるようにして車に放り込み、ダブル・バレルの猟銃を助手席に置いた。そして車に乗り込み、用心しながらバックで車を道に出した。少年たちが道に出てくるのを見てから、B支線のところまであとをついていって、エンジンをかけたままそこに車を停め、少年たちの車のテイルライトがトペニッシュの方に消えていくのを見届けた。彼は連中を土地から追い出したのだ。結局それが大事なことなのだ。しかし彼にはよくわからなかった。何か決定的なことが起こってしまったような感じがするのだ。大事なところでしくじってしまったような。

でも何が起こったわけでもないのだ。

霧がいくつもの小さなかたまりになって、谷から流れてきた。ゲートを開けるために車を停めたとき、チャーリーの家のあたりはよく見えなくなっていた。ポーチのあたりに微かな明かりがぽつんとひとつ認められるだけだった。午後にはそんなものついていなかったはずだがなと彼は思った。納屋のわきで腹ばいに伏せて待っていた犬が飛び起き、彼が鴨を入れた袋を肩に担いで家の方に歩きはじめると、その匂いをくんくんと嗅いだ。銃をしまうために、彼はポーチに足を止めた。鴨はキャビネットの横の床に置いた。鴨をむしるのは明日か明後日かにしよう。

「リーなの？」とニーナが声をかけた。

ウェイトは帽子を取り、電球をゆるめて消した。ドアを開ける前に、静かな暗闇の中にしばし佇んだ。

ニーナはキッチンのテーブルの前に座っていた。裁縫道具を入れた小さな箱がとなりの椅子の上に載っていた。デニムの布を手にしている。二枚か三枚の彼のシャツが、はさみと一緒にテーブルの上にあった。彼はカップにポンプの水を入れ、流しの上の棚から子供たちがいつも拾って帰ってくる色のついた石をいくつか手に取った。ひからびた松ぼっくりやら紙のように薄い夏の名残の大きな楓の葉やらもあった。彼は食料庫をのぞいてみた。でもとくに腹が減っているわけでもなかった。それから戸口のところに行って、ドアの枠にもたれかかった。

それは小さな家だった。他に身の置き場もないのだ。

裏側の部屋では、子供たちの全員がひとつの部屋に寝ていた。その隣の部屋ではウェイトとニーナと彼の母親が寝た。ときどき夏になると、ウェイトとニーナは家の外で寝た。身の置き場なんてどこにもないのだ。母親はまだストーヴの横に座っていた。膝に毛布をかぶせ、小さな目を開けて、彼をじっと見ていた。

「坊やたちはあなたが帰ってくるまで起きているって言ったんだけれど、先に寝ているようにっていうお父さんの言いつけだからって私は言ったの」とニーナが言った。

「そう、それでいい」と彼は言った。「子供は寝てなくちゃならん」

「私、怖かった」と彼女は言った。

「怖い?」と彼はいかにも驚いたという声を出した。「母さんも怖かったのかい?」

老婆は返事をしなかった。彼女の手の指は毛布の端っこをもてあそんでいた。隙間風があたらないように折りこんだり引っぱったりしているのだ。

「具合はどうだい、ニーナ? 今夜は少しましかな?」彼は椅子を引いて、テーブルの横に腰を下ろした。

妻は肯いた。彼はそれ以上は何も言わなかった。そのまま下を向いて、親指の爪でテーブルにしるしをつけはじめた。

「その相手は捕まえたの?」とニーナが言った。

「子供が二人だ」と彼は言った。「逃がしてやった」

彼は立ち上がってストーヴの向こう側に行き、薪を入れる箱の中に唾を吐き、ズボンの後ろポケットに両手の指をかけてじっと立っていた。ストーヴの裏側では薪は黒くなって、皮がめくれていた。頭の上の棚から、鮭を突くヤスがはみ出すように突き出ているのが見えた。その先端の部分には茶色い刺し網がぐるぐると巻きつけてある。でもこれはいったい何なんだ？　彼は目を細めてじっとそれを見た。

「帰してやったんだ」と彼は言った。「ちょっと甘すぎたかな？」

「あなたは正しいことをしたのよ」とニーナは言った。

彼はストーヴ越しに母親の方にちらっと目を向けた。でも彼女の顔からは何も読み取れなかった。黒い目がただじっとこちらを見ているだけだった。

「どうだろうな」と彼は言った。彼はそのことについて考えようとした。しかしそれはもう、たとえどのようなことであったにせよ、遥か遠い昔に起こったことのように感じられた。「あるいは、あいつらをもっと震えあがらせてやるべきだったかもしれんな」彼はそう言ってニーナを見た。「俺の土地だ」と付け足すように言った。「殺すことだってできたんだ」

「誰を殺すんだい？」と母親が訊いた。

「カウィッチ・ロードの土地にいた餓鬼どもだよ。ジョゼフ・イーグルはそれで俺に電話してきたんだ」

彼の立った場所から、母親の指が膝の上で動くのが見えた。その指は毛布のもりあがった模様をなぞっていた。彼はストーヴの上に身を乗り出しながら、何か別の話をしようと思った。でも何を話せばいいのかがわからなかった。

彼はぶらぶらとテーブルのところまで歩いていって、また椅子に腰を下ろした。それから自分がまだコートを着ていたことに気づいた。立ち上がってゆっくりとボタンを外し、それをテーブルの向こう側に置いた。そして妻の膝もとに椅子を引き寄せて、だらんと両腕を組み、指でシャツの袖をはさんだ。

「俺は実はあの土地をハンティング・クラブに貸したらどうかと考えているんだ。あんな風にほっぽらかしにしておいても、何もいいことなんかないものな。そうだろ？そりゃ、俺たちの家があそこにあるか、あるいはあの俺たちの土地がここにあるかしたら、話はまた違ってくるとは思うけどさ」

沈黙の中で薪のはぜるぱちんという音だけが聞こえた。彼は両手を広げてテーブルの上に置いていた。両腕がぴくぴくと脈打つのを感じることができた。「トペニッシュにある鴨撃ちのクラブにあれを貸すことはできるんだ。あるいはヤキマのな。あいつらは喜んでとびつくさ。なにせ鴨の通り道にある土地だからな。この谷あいじゃいちばんの鴨撃ちの場所だ……俺があの土地を使って何かできるっていうんならともかく」彼の声は消えいるように小さくなった。

　彼女は椅子の中で体を動かした。彼女は言った、「もしあなたがそうするべきだと思うのなら、そうすればいいでしょう。思うようにすればいいのよ。私にはよくわからないことだから」

「俺にもよくわからない」と彼は言った。彼の目は床を横切って上にあがり、母親を通り越して、また鮭突き用のヤスの上で止まった。立ち上がって頭を振った。彼がその小さな部屋を横切ると、老女は首を曲げて、頬を椅子の背もたれの上に載せた。細くなった目が、彼の姿を追った。彼は手をのばしてそげだらけの棚からヤスと網のかたまりをそろそろと下ろし、母親の椅子の後ろで体の向きを変えた。母親の小さな黒髪の頭と、猫背の上にきれいにのばしてかけられた茶色のウールのショールを見た。彼は手の中でヤスをぐるぐると回し、巻きつけられた網をはがしにかかった。

「どのくらいのお金になるの?」とニーナが尋ねた。

　彼はそこまで考えていなかった。その質問は実のところ彼を少し戸惑わせた。彼は網をひきはがし、ヤスを棚の上に戻した。外では、樹の枝が外壁にぶつかってかりかりという荒っぽい音を立てていた。

「ねえ、リー?」

彼にもわからなかった。訊いてまわるしかあるまいと彼は思った。マイク・チャックは去年の秋に30エーカーを五百ドルで貸した。ジェローム・シンパは毎年土地の一部を貸している。しかしどれくらいの値段で貸しているのかまでは聞いていない。

「千ドルくらいのものだろう」と彼は言った。

「千ドルですって？」と彼女が言った。

ウェイトはその驚きようを見て、ほっとして肯いた。「そんなものだろう。あるいはもっと取れるかもしれない。あたってみなければわからないけどな。誰かに値段を訊いてみることにするよ」それは大金だった。自分が千ドルを手にしたところを思い浮かべようとした。目をつぶって、それを頭で想像した。

「売り払うということじゃないわよね？」とニーナが訊いた。「たとえ土地を貸しに出しても、それはまだちゃんとあなたのものよね？」

「そりゃそうさ。それはちゃんと俺の土地だよ！」彼は妻のところに行って、テーブル越しに身を乗り出した。「その違いはお前にもわかるだろう。保護地区の土地をやつらが買うことはできないんだ。それは知ってるな？　使用権をやつらに貸すだけだよ」

「わかったわ」と彼女は言った。彼女は下を向いて、何枚かあるシャツの袖をつまんだ。「その人たちは土地を返却しなくちゃならないのよね。それはちゃんとあなたの持ち物なのよね？」

「まだわからないのか？」と彼は言った。彼はテーブルの縁をぎゅっと握った。「貸すだけだって言ったじゃないか」

「お母さんはどう思いますか？」とニーナが訊いた。「それでかまわないかしら？」

二人は老女のほうを見やった。しかし彼女の目は、眠り込んだように閉じられていた。

「千ドルねえ」とニーナは言って首を振った。

おそらく千ドル、あるいはもっとかもしれない。それはわからない。でも千ドルとしても、たいした金だ。どのように話を進めればいいのだろう、と彼は考えた。彼が土地を貸したがっているという話をどうやって広めればいいのか？　今年のシーズンにはもう手遅れだ。でも春になったらいろいろと声をかけてみることもできる。彼は腕組みをしてそれについて考えをまとめようとした。脚がぶるぶると震えてきたので、壁にもたれかかった。そこでしばらくじっとしていたが、やがてずるずると体をゆっくり下に滑らせ、最後には床にしゃがみこむような格好になった。

「ただ貸すだけだよ」と彼は言った。

彼は床を見つめた。床は彼の方に向けてかしいでいるように見えた。動いているみたいだった。彼は目を閉じて、体を安定させるために両手を耳につけた。それからその手を丸くして耳のまわりを覆ってみた。貝殻から音を立てて風が吹きだしてくるような、そんな轟音がよく聞き取れるようにと。

アラスカに何があるというのか？

What's In Alaska ?

　カールは三時に仕事を終えた。職場を離れると、車でアパートの近くにある靴屋に行った。そしてストゥールに足を載せて、店員にワークブーツの紐をほどかせた。

「履き心地のいいやつが欲しいんだ」とカールは言った。「普段履きのやつが」

「承知いたしました」と店員は言った。

　店員は三組の靴を出してきた。カールはソフトなベージュの靴を選んだ。それを履くと、彼の足はゆったりとして、元気を取り戻したように感じられた。彼は金を払い、ワークブーツを入れた箱を小脇に抱えた。そして歩きながら下を向いて、新しい靴を眺めた。車を運転して帰宅するとき、自分の足がペダルからペダルへさっさっと闊達に動くのが感じられた。

「あら、新しい靴を買ったのね」とメアリが言った。「見せてよ」

「どう、気に入った？」とカールは訊いた。

「色はあまり気に入らないけど、でも履きよさそうじゃない。靴も買いどきだったしね」

彼は新しい靴をまた眺めた。「風呂に入らなくちゃな」と彼は言った。

「私たち早めに夕ごはんを食べなくちゃ」と彼女は言った。「ヘレンとジャックに招待されてるの。ヘレンがジャックの誕生祝いに水パイプをプレゼントしてね、あの人たちそれを試したくてしょうがないのよ」メアリはそう言って彼の方を見た。「あなたは行くのかまわない？」

「何時に？」

「七時頃」

「かまわないよ」と彼は言った。

彼女はもう一度彼の靴を見て、頬っぺたをすぼませた。「じゃ、お風呂に入ったら」と彼女は言った。

カールは湯を出して、靴と服を脱いだ。しばらくバスタブにつかっていたが、やがてブラシを使って爪の中の潤滑用グリースを掃除した。両手を下ろして、それから目の前にかざした。

彼女がバスルームの戸を開けた。「ビール持ってきてあげたわよ」と彼女は言った。

湯気が彼女のまわりを通りすぎて、居間の方に流れていった。

「もうすぐ上がるよ」と彼は言った。そしてビールを少し飲んだ。

彼女はバスタブの縁に腰を下ろし、手を彼の腿に置いていた。「家がいちばんね」と彼女は言った。

「家がいちばん」と彼も言った。

彼女は腿の濡れた毛の中に手を這わせた。それから彼女はぽんと手を叩いた。「そうだ、言い忘れてた！　今日、私ひとつ面接を受けたんだけど、どうやら上手くいきそうなのよ。仕事がもらえそうなのよ――フェアバンクスで」

「アラスカの？」と彼は訊いた。

彼女は肯いた。「あなたはそのことどう思う？」

「俺はずっとアラスカに行ってみたかったんだ。それはたしかな話なのか？」

彼女はまた肯いた。「向こうは気に入ったみたいだわ。来週に返事くれるって」

「そいつは上出来だ。タオルを取ってくれないか。そろそろ出るよ」

「じゃあ食事の用意するわね」と彼女は言った。

彼の指の先と爪先はすっかり白くなって皺がよっていた。ゆっくりと体を拭いて、新しい服に着替え、買ったばかりの靴を履いた。それから髪をとかしてキッチンに行った。彼女がテーブルに料理を並べているあいだに、もう一本ビールを飲んだ。

「私たちはクリームソーダを少しと、何か軽いスナックを持っていくって言ってあるの」と彼女は言った。「どこかお店に寄って買っていかなくっちゃ」

「クリームソーダとスナックね。了解」と彼は言った。

夕食が終わると、彼は食卓のかたづけを手伝った。それから二人は車でスーパーに行って、クリームソーダとポテトチップとコーンチップとオニオン味のスナック・クラッカーを買った。レジのところで、彼はユーノー・バーをひとつかみ追加した。

「ああ、そうね」と彼女はそれを見て言った。


二人は家に戻り、車を停めた。それから同じブロックにあるヘレンとジャックの家まで歩いた。

ヘレンがドアを開けた。カールは袋をダイニング・ルームのテーブルの上に置いた。メアリはロッキング・チェアに腰を下ろし、くんくんと匂いを嗅いだ。

「どうやら私たち遅れちゃったわね、カール」と彼女は言った。「二人はもう先に始めたみたいよ」

ヘレンは笑った。「ジャックが帰ってきたときに一服やったのよ。水パイプの方はまだ始めてないから御安心を。あなたたちが来るのを待ってたんだから」彼女は部屋の真ん中に立って、二人の顔を見ながらにやにやしていた。「さあ、何を買ってきてくれたのかしらね」と彼女は言った。「わあ、すごい。このコーンチップを早速今いただいちゃおうかしら。あなたたちはいかが？」

「夕食を済ませてきたばかりなんだ」とカールが言った。「もうちょっとあとにするよ」水の音が止まり、ジャックがバスルームの中で口笛を吹いているのがカールに聞こえた。

「うちにはポプシクルが何本かとM&Mがあるわ」とヘレンは言った。彼女はテーブルの脇に立って、ポテトチップの袋の中に手を突っ込んでいた。「ジャックがいつの日にかシャワーから出てきたら、水パイプを始めると思うわ」彼女はスナック・クラッカーの箱を開け、ひとつを口の中に入れた。「うん、これすごくおいしいじゃない」と彼女は言った。

「エミリー・ポスト女史がこういうの見たら何と言うかしらね」とメアリが言った。

ヘレンは笑って首を振った。

ジャックがバスルームから出てきた。「よう、よく来たね。やあ、カール。何がそんなにおかしいんだい？」彼はそう言ってにやっと笑った。「笑い声が聞こえたけど」

「ヘレンのことを笑ってたのよ」とメアリが言った。

「ヘレンが笑ってたんだよ」とカールが言った。

「おかしい女でねえ」とジャックは言った。「おや、こいつは美味そうだなあ。なあどう、クリームソーダ飲むかい？ 俺はパイプの支度するからさ」

「私はいただくわ」とメアリが言った。「あなたはどうする、カール？」

「俺もちょっと貰おう」とカールは言った。

「カールは今晩ちょっと御機嫌ななめなのよ」とメアリが言った。

「なんでそんなこと言うんだよ？」とカールは言った。そして彼女の顔を見た。「そんなこと言われたら俺は本当にそうなっちゃうぜ」

「からかっただけじゃない」とメアリは言った。彼女は彼の方に来て、ソファーの隣に腰を下ろした。「ちょっとからかっただけよ、ハニー」

「ようカール、機嫌なおせよ」とジャックが言った。「俺が誕生日のプレゼントに貰ったものを見せてやるよ。なあヘレン、パイプの支度するあいだ、そのクリームソーダの瓶を開けといてくれよ。喉がからからだよ」

ヘレンはチップとクラッカーをコーヒー・テーブルに置いた。そしてクリームソーダの瓶とグラスを四つ持ってきた。

「なんだかまるでパーティーみたいだわね」とメアリが言った。

「一日じゅうおなかが減って死にそうってくらいじゃないと、週に十ポンドは体重が増えちゃうんだから」とヘレンは言った。

「言えるわよねえ」とメアリが言った。

ジャックが水パイプを手にベッドルームから出てきた。「さあこれだよ、これ」とカールに言って、その水パイプをコーヒー・テーブルの上に置いた。

「こりゃたいしたもんだな」とカールは言った。それを手に取り、しげしげと眺めた。

「名前はフーカっていうのよ」とヘレンは言った。「お店ではそう呼んでいたわ。これは小型の方なんだけど、それでもなかなかの強力ものなの」ヘレンはそう言って笑った。

「どこで手に入れたのよ？」とメアリが訊いた。

「何ですって？　ああ、フォース・ストリートにある小さな店よ。知ってるでしょう？」ヘレンはそう言った。

「ええ、知ってる」とメアリは言った。「そのうちに一度行ってみなくちゃね」とメアリは言った。彼女は両手を重ねて、じっとジャックを見た。

「どんな風にやるんだい？」とカールが訊いた。

「ここに葉っぱ入れて、ここに火をつけるんだ」とジャックが言った。「そしてここから吸い込む。すると煙が水の中を通ってくる。それで味も良くなるし、キクんだよ、こいつがまた」

「私もカールのクリスマス・プレゼントに買ってあげようかしら」とメアリが言った。

彼女はカールの方を向いてにっこりし、彼の腕に手を触れた。

「俺もひとつ欲しいな」とカールは言い、足をのばして、光の下で新しい靴を眺めた。

「さあ、一服やってみなよ」とジャックは言って、細い一筋の煙を吐き出し、カールの方にチューブを差し出した。「どんなか試してみなよ」

カールはチューブから煙を吸い込み、肺の中にとどめ、チューブをヘレンの方に回した。

「メアリが先にやれば」とヘレンは言った。「私はメアリの次にやる。あなたたちはあとからいらしてね」

「じゃあお言葉に甘えて」とメアリが言った。彼女はチューブを口にくわえ、勢いよく吸い込んだ。それも二度。カールは彼女の立てた泡を見ていた。

「これすごくいいじゃない」とメアリは言った。そしてチューブをヘレンに回した。

「私たちもう昨夜のうちに試してみたのよ」とヘレンは言った。そして大声で笑った。

「こいつ、朝子供たちと一緒に目を覚ましたとき、まだラリってたんだぜ」とジャックは言った。カールも笑った。彼はヘレンがチューブを吸うのを見ていた。

「子供たちは元気？」とメアリが尋ねた。

「ああ、元気にしているよ」とジャックは言った。そしてチューブをくわえた。

カールはクリームソーダを一口飲み、パイプの中の泡を見ていた。それは潜水夫のヘルメットから上がってくる泡を思わせた。ラグーンと、美しい魚の群れを彼は想像した。

ジャックがチューブを回した。

カールは席を立って、体をのばした。

「どこに行くの、ハニー？」とメアリが訊いた。

「どこにも行かないよ」とカールは言った。そして腰を下ろし、首を振ってにやっと笑った。「これはこれは」

ヘレンは笑った。

「何がおかしいの？」、少しあとでカールが尋ねた。

「そんなのわかんない」とヘレンは言った。目をこすって、また笑いはじめた。メアリとジャックも笑った。

少したってからジャックは水パイプのてっぺんのねじを緩め、チューブのひとつをふううと吹いた。「ときどきチューブが詰まっちゃうんだ」

「君はさっき俺の機嫌が悪いって言ったけど、あれはどういう意味なんだ？」とカールがメアリに尋ねた。

「何ですって？」とメアリが言った。

カールは彼女の顔をじっと見つめ、目を細めた。「君は俺の機嫌が悪いとかなんとか言ったじゃないか。なんであんなこと言ったんだよ？」

「思い出せないわ、それ。でも私には、そういうのちゃんとわかるのよ」と彼女は言った。「でもネガティブな話題は今は持ち出さないでね。わかった？」

「わかった」とカールは言った。「俺が言いたかったのは、どうして君がそんなことを言い出したのかよく理解できないというだけなんだけれどね。もし君がそう言い出すまで俺が落ち込んでいなかったとしたら、君はそう言ったことで俺を落ち込ませることに成功したってことになるね」

「ぴったしカンカン」とメアリは言って、ソファーのアームによりかかって、涙が出るまで笑いころげた。

「何、なんだって？」とジャックが言った。彼はカールを見て、それからメアリを見た。「よく聞こえなかったんだけど」とジャックは言った。

「何かこのチップにつけて食べるものを用意しとけばよかったわね」とヘレンが言った。

「クリームソーダはもっとないの？」とジャックが言った。

「俺たち二本買ってきたよ」とカールが言った。

「もう二本とも飲んじゃったのかなあ」とジャックが言った。

「私たち何か飲んだっけ？」とヘレンが言って笑った。「いいえ、私は一本しか栓を抜いてないわよ。一本しか抜いてない、と思う。一本以上栓を抜いた覚えがないのよ」ヘレンはそう言って笑った。

カールはメアリにチューブを回した。彼女は彼の手を取って、そのままの格好でチューブを口にくわえた。彼はずっとあとで彼女の唇の上を煙が漂うのを見た。

「クリームソーダはどう？」とジャックは言った。

メアリとヘレンは笑った。

「どうなの？」とメアリは言った。

「みんなで一杯やるって話じゃなかったっけ」とジャックは言った。彼はメアリの方を見てにこっと笑った。
メアリとヘレンは声を上げて笑った。

「何がおかしいんだよ」とジャックは言った。彼はヘレンを見て、それからメアリを見た。彼は首を振った。「君たちのことはよくわからないね」

「我々はアラスカに行くことになるかもしれない」とカールが言った。

「アラスカだって?」とジャックが言った。「アラスカにいったい何があるんだ。あんなところで何をしようっていうんだ?」

「私たちもどこかに行きたいな」とヘレンが言った。

「ここのどこがいけないんだ?」とジャックが言った。「君たち、アラスカでいったい何をやるんだよ? 冗談抜きで知りたいね」

カールはポテトチップを口に入れ、クリームソーダをすすった。「わからないな。なんて言ったっけね?」

ちょっと間をおいてジャックが言った、「アラスカに何があるんだ?」

「わからないよ」とカールは言った。「メアリに訊いてくれよ。メアリなら知ってるからさ。なあメアリ、俺はアラスカでいったい何をやればいいんだろう? あるいは君がどこかで読んだ馬鹿でかいキャベツでも育てるのかな」

「それともカボチャ」とヘレンが言った。「カボチャを作るの」

「そいつは当たるぜ」とジャックは言った。「ハロウィーン用にこっちに送るんだ。俺が販売代理店をやってやるよ」

「ジャックが販売代理店をやる」とヘレンは言った。

「そのとおり」とジャックが言った。「俺たち大もうけできる」

「お金持ちになれる」とメアリが言った。

そのうちにジャックが立ち上がった。「いま何がいちばん美味いかはわかってる。それはクリームソーダだ」とジャックは言った。

「お好きに笑えばいいさ」とジャックはにやにやしながら言った。「誰かクリームソーダを飲みたい人は？」

メアリとヘレンは笑った。

「何を飲みたいって？」とメアリが言った。

「クリームソーダ」とジャックが言った。

「あなたが立ち上がったところ、まるで演説でもするみたいな感じだった」とメアリが言った。

「そんなこと考えてもみなかった」とジャックが言った。彼は首を振って笑った。そして腰を下ろした。「これはモノがいいな」と彼は言った。

「もっと手に入れとくんだったわ」とヘレンが言った。

「もっと何を？」とメアリが言った。

「もっとお金を」とジャックが言った。

「金はない」とカールが言った。

「袋の中にユーノー・バーが入ってたわよねえ」とヘレンが言った。

「少しだけ買っといたよ」とカールが言った。「最後にレジのところで思いついて」

「ユーノー・バーはいいな」とジャックが言った。

「クリーミーだし」とメアリが言った。「口の中でとろけるのよ」

「うちにはM&Mとポプシクルがある。もし食べたかったらどうぞ」とジャックが言った。

メアリが言った、「ポプシクルが食べたいな。あなたキッチンに行くついである？」

「ああ、どうせクリームソーダ取りに行くから」とジャックが言った。「それで思い出した。君たちもう一杯どう？」

「持ってくるだけ持ってきて。あとで考えるから」とヘレンが言った。「M&Mも持ってきてね」

「キッチンごとこっちに持ってきた方が楽かもな」とジャックが言った。

「私たちが都会に住んでいたときにはみんなこう言っていたわ」とメアリが言った。

「朝にキッチンを見れば、前の晩にラリったかどうかわかるって。都会に住んでいたときには、私たちのキッチンは狭かったの」

「狭いキッチンだった」とカールは言った。

「何か食べるものを探してこよう」とジャックが言った。

「一緒に行くわ」とメアリが言った。

カールは二人がキッチンの方に行くのを見ていた。彼はクッションに背をもたせかけ、二人が歩いていくのを見守っていた。それからゆっくりと前かがみになった。彼は目を細くして見た。ジャックが食器棚に手をのばすのが見えた。メアリがジャックの後ろに寄って、彼の腰に腕をまわすのが見えた。

「あなたたち本気なの？」とヘレンが訊いた。

「大真面目な話だよ」とカールは言った。

「アラスカのことよ」とヘレンは言った。

彼は彼女の顔をじっと見た。

「あなた何か言わなかった？」とヘレンが言った。

ジャックとメアリが戻ってきた。ジャックはM&Mの入った大きな袋とクリームソーダの瓶を持ってきた。メアリはオレンジのポプシクルをなめていた。

「誰かサンドイッチ食べたい人はいる?」とヘレンが訊いた。「サンドイッチの材料ならあるんだけど」

「それ、笑えるわね」とメアリが言った。「デザートから食べはじめて、それからメイン・コースに行くなんて」

「笑えるね」とカールは言った。

「何か気に入らないことでもあるの、ハニー?」とメアリが言った。

「誰かクリームソーダ飲む?」とジャックが言った。「みなさんクリームソーダがありますよ」

カールがグラスを差し出し、ジャックがそこにたっぷりクリームソーダを注いだ。カールはグラスをコーヒー・テーブルの上に載せた。でもコーヒー・テーブルにがしゃんとぶつかって、ソーダが彼の靴の上にこぼれた。

「参ったな」とカールは言った。「なんてこった。靴にこぼしちまったよ」

「おいヘレン、タオルあるか? カールにタオル持ってきてやれよ」とジャックは言った。

「おニューの靴」とメアリが言った。「買ったばかりなの」

「履き心地のよさそうな靴よね」とずいぶんあとでヘレンが言った。そしてカールにタオルを渡した。

「私もおなじこと言ったわ」とメアリが言った。

カールは靴を脱いで、タオルで革をごしごしとこすった。

「こりゃもう駄目だな」と彼は言った。「このクリームソーダは全然取れないや」

メアリとジャックとヘレンは笑った。

「新聞で読んだことを思い出すわ」とヘレンが言った。鼻先に指で触れた。そして眉を寄せた。「なんだっけな、忘れちゃった」と彼女は言った。

カールは靴をもう一度履いた。両足を明かりの下に伸ばして、靴を揃えて眺めてみた。


「何を読んだんだって？」とジャックが言った。

「何が？」とヘレンが言った。

「新聞で何か読んだって言っただろう？」とジャックが言った。

ヘレンは笑った。「アラスカのことを考えていたの。それで思い出したんだけれど、氷詰めになった原始時代の人間が発見されたのよ。それをふっと思い出したの」

「それはアラスカの話じゃないよ」とジャックは言った。

「違うかもしれない。でもとにかくそのことを思い出したのよ」とヘレンは言った。

「なあ君たち、アラスカのことはどう思うんだよ?」とジャックは言った。

「アラスカになんか何もないさ」とカールは言った。

「彼、落ち込んでるのよ」とメアリが言った。

「君たちはアラスカでいったい何をやるんだ?」とジャックが言った。

「アラスカでやることなんか何ひとつないさ」とカールが言って、両足をコーヒー・テーブルの下に入れた。それからまた外に出して、明かりの下に置いた。「誰か新品の靴は要らないか?」

「あの音はいったい何かしら?」とヘレンが言った。

みんな耳を澄ませた。何かがドアをかりかりとひっかいていた。

「シンディーみたいだな」とジャックが言った。「中に入れてやったほうがいいだろうな」

「立ったついでにポプシクルを持ってきてくださる?」とヘレンが言った。彼女は頭を後ろにそらせてけらけらと笑った。

「私ももうひとつ欲しいわ、ハニー」とメアリが言った。「あら、間違っちゃったかしらね。ジャックって言うつもりだったんだけど」とメアリは言った。「ごめんなさい。カールに話しかけてるような気がしちゃったから」

「みなさんにポプシクルね」とジャックが言った。「君はポプシクル欲しいかい、カール？」

「何だって？」

「君はオレンジのポプシクルを欲しいかい？」

「オレンジのを頼むよ」とカールは言った。

「ポプシクル四人前」とジャックは言った。

まもなく彼はポプシクルを持って戻ってきて、みんなに配った。彼は腰を下ろしたが、ドアをひっかく音が再び聞こえた。

「何か忘れてたような気がしたんだ」とジャックは言った。立ち上がって玄関のドアを開けた。

「これはこれは」と彼は言った。「こいつはすごいや。シンディーはどうやら今晩はディナーを取りに行っていたようだよ。なあみんなこれを見てみなよ」

猫はねずみをくわえて居間に入ってきた。歩を止めてみんなを見回し、それからそれをくわえたまま廊下の方に歩いていった。

「あれ見た?」とメアリが言った。「あれこそ落ち込みものよね」

ジャックは廊下の明かりをつけた。猫はねずみを廊下からバスルームへとくわえて移した。

「あの猫、ねずみを食べてるぞ」とジャックは言った。

「うちのバスルームでねずみなんか食べてほしくないわ」とヘレンが言った。「あの猫を追い出してよ。子供たちのものもあそこに入っているんだから」

「あいつはここからは出ていかないよ」とジャックが言った。

「ねずみはどうなるのかしら?」とメアリが言った。

「どうしたっていうんだよ」とジャックが言った。「もし俺たちがアラスカに行くとしたら、シンディーだって猟をすることを覚えなくちゃならないじゃないか」

「アラスカですって?」とヘレンが言った。「アラスカっていったい何の話よ?」

「知るもんか」とジャックは言った。彼はバスルームのドアの脇に立って、猫をじっと見ていた。「メアリとカールはアラスカに行くって言ってる。シンディーは猟をすることを覚えなくてはならん」

メアリは両手で顎を支えるようにして廊下をじっと見ていた。

「ねずみを食べてる」とジャックは言った。

ヘレンはコーンチップの最後のひとつを食べてしまった。「彼に言ったのよ、バスルームで猫にねずみを食べさせないでくれって。ねえジャック」とヘレンが言った。

「何だよ？」

「猫をバスルームから追い出してって言ったでしょう」とヘレンは言った。

「そんなこと言ったってさ」とジャックが言った。

「何よこれ」とメアリが言った。「わああ」とメアリは言った。「この猫ここにきちゃったわよ」とメアリが言った。

「何してる？」とカールが言った。

猫はねずみをコーヒー・テーブルの下にひきずりこんだ。猫はテーブルの下に横になってねずみを嘗めた。猫は前脚でねずみをしっかりと押さえ、ゆっくりと嘗めた。頭から尻尾まで。


「猫は興奮しているんだ」とジャックは言った。

「ぞっとしちゃう」とメアリは言った。

「それが自然の本能なんだ」とジャックは言った。

「目を見てよ」とメアリが言った。「この猫が私たちを見る目を見てよ。うん、たしかにもう興奮しちゃっている」

ジャックはソファーのところに来て、メアリの隣に腰を下ろした。メアリはジャックの座る場所を作るためにカールの方ににじり寄った。彼女は片手をカールの膝の上に置いた。

彼らは猫がねずみを食べるのを見つめていた。

「あなた、猫に餌やったことないわけ？」とメアリがヘレンに訊いた。

ヘレンは笑った。

「みんなもう一服やらないか？」とジャックが言った。

「俺たちそろそろ行かなくちゃ」とカールが言った。

「なんでそんなに急ぐんだよ」とジャックが言った。

「もっとゆっくりしていけばいいじゃない」とヘレンが言った。「用事があるわけじゃないんでしょう」

カールはメアリの顔をじっと見た。メアリはジャックの顔をじっと見ていた。ジャックは足もとの敷物の上にある何かを見つめていた。

ヘレンは手のひらにのせたM&Mを結局全部食べてしまった。

「私、緑のやつがいちばん好きだわ」とヘレンが言った。

「朝には仕事に行かなくちゃならない」とカールは言った。

「この人ほんとに落ち込んじゃってるんだから」とメアリが言った。「シラケ鳥ってのを見てみたいと思う？　これがまさにそれよ」

「君は一緒に来るのか？」とカールが言った。

「ミルクを飲みたい人はいるかな？」とジャックが言った。「ミルクなら少しあるんだけど」

「クリームソーダでがぶがぶになっちゃったわ」とメアリが言った。

「クリームソーダはもうない」とジャックが言った。

ヘレンがけらけらと笑った。彼女は目を閉じて、それからまた目を開け、もう一度けらけらと笑った。

「もう家に帰らなくちゃ」とカールは言った。そしてほどなく立ち上がってこう言った、「コートは着てきたっけな、いや、着てなかったよな」

「なんですって？　コートは着てなかったと思うけど」とメアリは言った。彼女はまだ腰を下ろしたままだった。

「もう引きあげよう」とカールは言った。

「この人たちもう帰るって」とヘレンが言った。

カールはメアリの脇の下に両手を入れて、抱えあげた。

「みなさん、それでは」とメアリが言った。彼女はカールを抱きしめた。「私、おなかいっぱいで動けない」とメアリが言った。

ヘレンが笑った。

「ヘレンにかかったら何でもかんでもおかしいんだから」とジャックが言った。そして彼は笑顔でヘレンに訊いた。「なあ、何がおかしいんだい？」

「わかんないわ。何かメアリの言ったことがおかしかったのよ」とヘレンが言った。

「私、何を言ったかしら」とメアリが言った。

「思い出せない」とヘレンが言った。

「もう行くよ」とカールが言った。

「じゃあな」とジャックが言った。「御機嫌よう」

メアリが笑おうとした。

「さあ行こう」とカールが言った。

「おやすみ」とジャックが言った。「おやすみ、カール」カールはジャックがすごくすごくゆっくりとそう言うのが聞こえた。

外に出ると、メアリはカールの腕をつかんで、うつむくようにして歩いた。二人はゆっくりと歩道を歩いた。彼は彼女の靴がたてるひきずるような音を聞いていた。少し離れたところで犬の吠える鋭い声が聞こえた。ずっと遠くの車の音が、それにかぶさって聞こえた。

彼女は顔を上げた。「ねえカール、家に帰ったら私ファックされたい。何か話してもらいたいし、気を晴らしてほしい。私の気を晴らしてよ、カール。今夜はぱあっと気晴らしをしたいのよ」彼女は彼の腕をつかんだ手をぎゅっと握りしめた。

彼は靴の濡れた感触を感じた。ドアの鍵を開け、明かりをつけた。

「ベッドに行こうよ」と彼女は言った。

「いま行くよ」と彼は言った。

彼はキッチンに行って、水をグラスに二杯飲んだ。そして居間の明かりを消し、壁を手探りしながらベッドルームに行った。

「カール！」と彼女は叫んでいた。「カール！」

「大丈夫、俺はここにいるって！」と彼は言った。「明かりのスイッチを探しているところだよ」

やっとスタンドを見つけた。彼女はベッドの上に体を起こした。彼女の目はきらきらとしていた。彼は目覚まし時計のノブをひっぱり、服を脱ぎはじめた。膝ががくがくと震えていた。

「何か吸えるものない？」と彼女は言った。

「俺たちのとこはそういうもの置いてない」と彼は言った。

「じゃあお酒を作ってよ。何か飲みたい。お酒もないなんて言わないでよね」と彼女は言った。

「ビールが何本かあるだけだよ」

二人はじっと顔を見合わせた。

「ビールを飲むわ」と彼女は言った。

「本当にビールが飲みたいのかい？」とカールは言った。

彼女は肯いて、唇を噛んだ。

彼はビールを持ってきた。彼女は彼の枕を膝の上に載せて座っていた。彼はビールの缶を彼女に渡すと、ベッドの中にもぐりこみ、布団を引っぱりあげた。

「ピルを飲むのをわすれてた」と彼女は言った。

「なんだって？」

「ピルを忘れた」

彼はベッドを出て、ピルを取ってきた。彼女は目を開けた。彼は錠剤を出して、彼女が伸ばした舌の上に置いてやった。彼女は錠剤をビールで流し込み、彼はベッドに戻った。

「これ持ってよ。私もう目を開けていられない」と彼女は言った。

彼は缶を床の上に置き、横向きになって暗い廊下をじっと見つめた。彼女は腕を彼の脇腹の上に載せ、胸に指を這わせた。

「アラスカに何があるの？」と彼女が言った。

彼はうつぶせになり、ゆっくりとベッドの自分の側に移動した。ほどなく彼女はすうすうといびきをかき始めた。

明かりを消そうと身を起こしたときに、廊下に何かが見えたような気がした。じっと見つめていると、もう一度それが見えたように思えた。一対の小さな目だ。胸がどきどきした。彼は目をこらしてじっとそれを見つめた。手を伸ばして、何か投げつけるものがないかと探した。靴の片方を手に取った。まっすぐに身を起こし、両手に靴を握りしめた。彼女のいびきが聞こえた。彼は歯を食いしばった。彼はじっと待っていた。それがもう一度動くのを、どんな小さな音でもいいから、音をたてるのを。

ナイト・スクール

Night School

私の結婚生活は崩壊したところだった。私は職をみつけることができなかった。私には別の女がいた。でも彼女は違う町に住んでいた。それで私はバーに行ってビールを飲んでいた。二、三脚向こうのバーのストゥールに二人の女が座っていた。そのうちの一人が私に話しかけた。

「車を持ってる？」

「持ってる。でもここには乗ってきてない」と私は言った。

車は妻が持っていってしまった。私は両親の家に同居しており、両親の車をときどき使わせてもらった。でもその夜は歩いてそこまで来たのだ。

別の方の女が私を見た。どちらも四十前後、あるいはもっと上かもしれない。

「あの人に何を言ったのよ？」と別の方の女がもう一人に尋ねた。

「車を持っているかって訊いたのよ」

「で、車を持ってるの？」とその別の女が私に尋ねた。

「だからそのことを説明したんだよ。僕は車を持ってる。でも今ここには持っていない」と私は言った。

「だとすると私たちの役にはたたないわね」と彼女は言った。

最初の女は笑った。「私たちすごいことを思いついたのよ。そしてそれを実行するには車が必要なのよ。残念だわね」と彼女は言った。そしてバーテンダーの方を向いて、ビールのおかわりをふたつ注文した。

私はそれまで自分のビールをちびちびと飲んでいたのだが、それをぐっと飲み干した。おかわりを御馳走してもらえるかもしれないと思ったのだ。でもそううまくはいかなかった。

「何をしてるの?」と最初の女が私に尋ねた。

「今は何もしてない」と私は言った。「ときどき余裕があるときは学校に通ってるけど」

「学校に通ってるんだって」彼女は別の女に言った。「この人、学生なのよ。どこの学校に通ってるわけ?」

「この近くだよ」と私は言った。

「だから言ったじゃない」と彼女は言った。「あの人なんだか学生みたいじゃないのって」

「どういうことを教わってるの？」ともう一人の女が訊いた。

「あらゆること」と私は言った。

「私が聞きたいのは、この先どういう計画があるのかってことよ」と彼女は言った。

「あんたの人生のゴールっていうのはいったい何なの？　人は誰でも人生の大きな目的というのを持っているでしょうが」

　私は空になったグラスをバーテンダーの方に向けて上げた。彼はそれを取っておかわりのビールを注いでくれた。私は小銭を幾らか選りわけた。二時間ばかり前に飲み始めたときには二ドルあったのが、今では三十セントを残すのみとなっていた。彼女は返事を待っていた。

「教えること。学校で教えること」と私は答えた。

「この人、先生になりたいんだって」と彼女は言った。

　私はビールをすすった。誰かがジュークボックスにコインを入れて、妻の好きだった曲がかかった。私はあたりを見回した。入口近くにいる二人はシャッフルボードに向かっていた。ドアは開いており、その外はまっ暗だった。

「ねえ、私たちも学生なのよ」と最初に口をきいた女が言った。「私たちも学校に行ってるのよ」

「夜のクラスなの」ともう一人の女が言った。「月曜日の夜の講読のクラスを取ってるの」

最初の女が言った、「こっちにいらっしゃいよ、先生。そうすればこんな風にいちいち大声出さなくてもいいでしょう」

私は自分のビールと煙草を持って、椅子をふたつずれた。

「それでいいわ」と彼女は言った。「ところであんた学生だって言ったわよね」

「ときどきね。でも今は違う」と私は言った。

「どこの学生？」

「州立大」

「それよ」彼女は言った。「それで思い出した」彼女はもう一人の女の方を見た。「パターソンっていう名前の教師のこと聞いたことある？　彼は成人教育クラスを教えているの。私たちが月曜日の夜に取っているクラスを教えているのよ。あんたを見てたら彼のことを思い出した」

二人は顔を見合わせて笑った。

「べつに気にしないでね」と最初の女が言った。「これは仲間うちのジョークなのよ。

ねえイーディス、私たちがやろうとしていたことをこの人に教えてあげたらどう？いいんじゃない？」

イーディスは返事しなかった。彼女はビールをひとくち飲み、目を細めてバーの後ろの壁の鏡に映った自分の姿をじっと見つめ、それから我々三人全員の姿を見た。

「私たちはこう考えていたのよ」と最初の女が続けた。「もし車があったら、それに乗って今夜彼のところに行こうって。パターソンのところよ。ねえ、そうでしょ、イーディス？」

イーディスは一人で笑った。そしてビールを飲み干し、みんなのおかわりを注文した。私のぶんもそこに入っていた。彼女は五ドル札でその勘定を払った。

「パターソンは一杯やるのが好きなのよ」とイーディスが言った。

「そいつは確かよね」ともう一人の女が言った。彼女は私の方を向いた。「私たちある夜のクラスでそのことについて話したの。パターソンは言ってたわ。食事のときにはいつもワインを飲むし、夕食の前にはハイボールを一、二杯は飲むって」

「それ何のクラス？」と私は訊いた。

「パターソンの講読クラスよ。パターソンって、そういう本筋とは関係のない話をするのが好きなわけ」

「私たち本を読むのを習ってるのよ」とイーディスが言った。「そんなのって信じられる？」

「私はヘミングウェイみたいなのを読みたいのよ」ともう一人の女が言った。「でもパターソンときたら私たちに『リーダーズ・ダイジェスト』に載ったような話ばっかり読ませるの」

「毎週月曜日の夜にテストがあるの」イーディスが言った。「でもパターソンは悪くないのよ。彼は私たちがハイボールを飲みに行っても気にしないと思うな。いずれにせよ、あの人ができることなんて、そんなたいしてないんだから。私たち、彼の尻尾をちょいと握っているのよ。パターソンのよ」と彼女は言った。

「私たち今夜は自由なの」ともう一人の女が言った。「でもイーディスの車は修理工場に入っちゃってるんだ」

「もしあんたがここに車を持っていたらね、私たち彼のうちを訪ねて行けるんだけどな」とイーディスは言った。彼女は私の顔を見た。「自分も教師志望なんだってパターソンに言えばいいのよ。そうすれば共通の話題もあるじゃない」

私は自分のビールを飲んでしまった。ピーナッツをちょっと食べたのを別にすれば、朝から何も口にしていなかったから、話を聞いたり、話したりしているのはけっこうきつかった。

「もう三杯ちょうだい。ねえ、ジェリー」と最初の女がバーテンダーに言った。

「どうも御馳走さま」と私は言った。

「あんたパターソンと話が合うわよ」とイーディスが言った。

「じゃあ彼に電話してみれば」と私は言った。本気で行くつもりじゃないだろうと私は思ったのだ。

「電話なんかかけるもんですか」と彼女は言った。「忙しいとか予定が入ってるとか言って逃げられるに決まってるもの。まえぶれもなしに、玄関ポーチに姿を現してやるの。そうすれば中に入れないわけにもいかないでしょうが」彼女はビールをすった。

「じゃあ行こう！」と最初の女が言った。「何をぐずぐずしてるのよ。それで車はどこにあるわけ？」

「ここから二、三ブロック先にある」と私は言った。「と思うんだけど」

「あんた行きたいの、行きたくないの？」とイーディスが言った。

「彼は行くって言ったじゃない」と最初の女が言った。「ビールの六本パックを買っていこうよ」

「僕は三十セントしか持ってない」と私は言った。

「あんたに金を出せなんて誰も言ってないでしょうが」とイーディスが言った。「私たちが必要としているのはあんたの車だけよ。ジェリー、あと三杯おかわり。それから六本パックの持ち帰り」

「じゃあパターソンに乾杯」ビールが来たときに最初の女が言った。「パターソンと彼のハイボールに乾杯」

「あいつでんぐりがえっちゃうわよ」とイーディスが言った。

「飲んだ、飲んだ」と最初の女が言った。


歩道に出て、我々は南に向かった。南に向かうと町から離れることになる。私は二人の女の真ん中を歩いた。十時前後だった。

「今それを一本飲みたいな」と私は言った。

「勝手に飲んでいいわよ」とイーディスが言った。

彼女は袋の口を開き、私は手を入れて一本むしりとった。

「あいつ家にいると思うんだけど」とイーディスが言った。

「パターソンよ」ともう一人の女が言った。「確証はないんだけど。でもいると思うのよ」

「まだ先なの？」とイーディスが言った。

私は歩を止めて、ビールを持ち上げて缶の半分をごくごくと飲んだ。「次のブロックだよ」と私は言った。「両親の家に同居しているんだ。親の家だよ」

「それはまあ人の勝手だけど」とイーディスが言った。「でもあんた、親と同居する歳でもないんじゃないの？」

「イーディス、そんなこと言うもんじゃないわよ」ともう一人の女が言った。

「私はそういう口のききかたをする人間なのよ」とイーディスが言った。「この人だってそれに馴れなくちゃ。それが私という人間なんだから」

「彼女はそういう人間なのよ」ともう一人の女が言った。

私はビールを飲み干し、空き缶を草むらに投げ捨てた。

「まだ先なの？」とイーディスが言った。

「もう着いた。ここだよ。車のキイを取ってくるから」と私は言った。

「なんでもいいけど急いでよね」とイーディスが言った。

「私たち外で待ってるから」ともう一人の女が言った。

「まったくもう！」とイーディスが言った。

私は鍵を開けて階下に行った。父がパジャマ姿でテレビを見ていた。アパートメントの中は暖かかった。私は少しのあいだ戸口にもたれて、目をこすっていた。

「ちょっとビール飲んできたんだ」と私は言った。「何を見てるの?」

「ジョン・ウェイン」と父は言った。「なかなか悪くないぞ。お前も座って見ろよ。母さんはまだ帰ってない」

私の母はポールズというドイツ風居酒屋で遅番で働いていた。父は仕事を持っていなかった。以前は森で働いていたのだが、怪我をしてしまった。見舞金のようなものは貰ったが、そのおおかたは既に消えてなくなっていた。妻が出て行ったときに、私は父に二百ドルの借金を申し込んだのだが、断られた。父は断るときに、目に涙を浮かべていた。そしてこのことで悪く思わないでくれと言った。べつにかまわないよ、悪くなんか思わない、と私は言った。

父が今回もノーと言うだろうということは私にもわかっていた。でも私はカウチの反対側に腰を下ろした。そして言った、「俺、二人の女に会ったんだよ。それで車で家に送ってくれって頼まれてるんだ」

「で、なんて言ったんだ?」と父は言った。

「階上《うえ》で待ってるんだよ」と私は言った。

「そのまま待たせておけばいいだろう」と父は言った。「そのうちに誰か通りかかるさ。お前だってもうそういうことに巻き込まれたくないんじゃないのか」彼は首を振った。「うちがどこの部屋かまで教えたわけじゃなかろう。建物の中にも入ってないんだろう？」父はカウチの上で体を動かし、またテレビに目をやった。「いずれにせよ車のキイは母さんが持っていったよ」父はテレビに目をやったままゆっくりと肯いた。

「じゃあいいよ」と私は言った。「車はいらないよ。どこにも行かない」

立ち上がって廊下の方を覗いてみた。私はそこに簡易寝台を置いて寝ている。寝台のわきのテーブルの上には灰皿があり、ラックスの置き時計があり、何冊かの古いペーパーバックがあった。私はいつも真夜中頃にベッドに入る。活字がぼやけてくるまで本を読んで、電灯をつけっぱなしにしたまま、手に本を持って眠りこんでしまう。私が読んでいたあるペーパーバックの中に、あとで妻に話して聞かせた部分があった。それを読んで私は思わずぞっとしてしまったのだ。悪夢を見る男がいる。彼はその悪夢の中で、自分が夢を見ているところを夢に見るのだ。そして目が覚めると、ベッドルームの窓のところに男が一人立っているのが見える。その夢見る男は怖くて、動くことができない。息をすることさえおぼつかない。その窓の男は部屋の中をじっと覗きこんでいる。それから網戸をこじ開けにかかる。夢を見ている男は身動きすることができない。彼は悲鳴をあげたい。でも息を吸い込むことができない。しかしそのとき雲が切れて、月が姿を見せる。そして彼は外に立っている男が誰かを見分けることができた。それは彼の一番の友達だった。夢を見ている男の一番の親友、でもその悪夢を見ている人間にとってはまったく知らない男だ。

その話を妻にしながら、自分の顔が血でほてるのが感じられた。そして頭の皮がぴりぴりとした。でも彼女はその話に興味を抱かなかった。

「そんなのただのお話じゃない」と彼女は言った。「自分の家族の中の誰かに裏切られること、そこにこそあなたにとっての本物の悪夢があるわよ」

彼女たちが外のドアをがちゃがちゃと揺さぶっている音が聞こえた。窓の上の歩道を行き来する足音が聞こえた。

「あのインチキ野郎!」とイーディスが言うのが聞こえた。

私は長いあいだバスルームの中に入っていた。それから階上に行って、ちょっと外に出てみた。外はさっきより涼しくなっていた。私は上着のジッパーを引っぱり上げた。そしてポールズの方に向けて歩きはじめた。母が仕事を終える前にそこに着けたら、ターキーのサンドイッチにありつけるかもしれない。あとでカービーの新聞スタンドに寄って、雑誌をぱらぱらと立ち読みしてもいい。それからアパートに帰ってベッドに入り、心ゆくまで本を読み、そして眠るのだ。

私が出て行くときには女たちはもうそこにはいなかった。帰ってくるときだってきっといないだろう。

収集

Collectors

僕は失業していた。でもいつなんどき北の方から報せが舞い込んでくるかもしれなかった。僕はソファーに横になって雨の音を聞いていた。そしてときどき身を起こしては、郵便配達夫の姿が見えないかとカーテン越しに外を眺めた。

路上には誰もいなかった、まったく。

また横になって五分もしないうちに、誰かがポーチに上がってくる足音が聞こえた。ちょっと立ち止まり、それからノック。僕はじっと寝ころんでいた。それは郵便配達夫じゃない。僕は彼の足音をよく知っていた。失業中の人間はどれほど用心しても用心しすぎるということはないのだ。郵便で通告書を受け取ることもある。あるいはそれらはドアの下に突っこまれていく。直接話をしにくる人間だっている。とくにこっちが電話を持っていない場合には。

もう一度ノックの音が聞こえた。今度は前より強く。悪い徴候だ。僕はそっと身を起こし、ポーチの方を覗きこんだ。しかし誰かはわからないがその相手はドアの真ん前に立っていた。これもまた悪い徴候だ。床がきしむことはわかっていたから、忍び足で隣の部屋に行ってそこの窓から相手の姿を見ることも不可能だった。

もう一度ノックの音が聞こえた。どなたですか、と僕は訊いた。

オーブリー・ベルと申します、と男が言った。スレーターさんはお宅でしょうか？

どんな御用でしょうかね、と僕はソファーから声をかけた。

ミセス・スレーターにあるものをお持ちしたんです。当選なすったんですよ。ミセス・スレーターはおいででいらっしゃいましょうか？

ミセス・スレーターはもうここには住んでいないんですよ、と僕は言った。

ではあなたは御主人でいらっしゃいますか、とその男は言った。スレーターさん……と言ってその男はくしゃみをした。

僕はソファーから起き上がった。そしてドアの鍵をはずし、ちょっとだけ開けた。歳をくった男で、レインコートの下の体は太ってむっくりとしていた。水はコートをつたって、手に下げた大きなスーツケースみたいな代物の上にぽたぽたと垂れていた。

彼はにっこりと笑って、その大きなケースを下に置いた。彼は手を差し出した。

オーブリー・ベルです、と彼は言った。

どなたですか、いったい、と僕は言った。

ミセス・スレーターがですね、と彼は切り出した。ミセス・スレーターがアンケートにお答えになりましてね。彼は内ポケットから何枚かカードを取り出して、ぱらぱらと繰っていた。ミセス・スレーター、と彼は読みあげた。サウス・シックスス・イースト の二五五番地、ですね？　ミセス・スレーターが御当選なすったんです。

彼は帽子を取って、うやうやしく肯き、これで終わったとでもいわんばかりにその帽子でコートをぴしゃっと打った。一件これにて落着、ドライブは終わり、終着駅に到着とでもいうような感じで。

彼はじっと待っていた。

ミセス・スレーターはもうここには住んでいないんですよ、と僕は言った。彼女は何に当選したんでしょうか？

あなたにそれをお見せしなくちゃなりません、と彼は言った。中に入ってかまわないでしょうかね？

さあどうかな。あまり時間を取らないようなら、と僕は言った。今ちょっと忙しいもんでね。

結構でございますよ、と彼は言った。まずこのコートをちょっと脱がせていただきまして。それからこのオーバーシューズも。お宅のカーペットを汚したくありませんせんからねえ。カーペットを敷いておられますよね、ミスター……

彼の目はカーペットを見てはっと明るくなり、それからだんだん消え入るように弱まっていった。彼はぶるぶると身ぶるいした。そしてコートを脱いだ。彼はそのコートの水を払って、ドアノブに襟のところを掛けた。コートを掛けるには良い場所ですな、と彼は言った。まったくそれにしてもひどい天気で。彼は身を屈めてオーバーシューズの紐をほどいた。スーツケースを家の中に置いた。オーバーシューズから足を抜くと、彼は室内履きで家の中に入ってきた。

僕はドアを閉めた。彼は僕がその室内履きをじっと見ているのを目にとめて、こう言った、W・H・オーデンは初めて中国を訪れたとき、始めから終わりまでずっと室内履きを履いていたんですよ。一度もそれを脱がなかったんです。うおのめのせいです。

僕は肩をすくめた。もう一度通りの方を見て郵便配達夫の姿が見えないことを確認してからまたドアを閉めた。

オーブリー・ベルはじっとカーペットを見ていた。彼は唇をすぼめた。それから彼は笑い出した。彼は笑って頭を振った。

何がそんなにおかしいんですかね、と僕は言った。

いや、なんでもありませんよ。しかしねえ、と彼は言って、また笑い出した。いやいや、頭がなんかぼうっとしてるな。どうも熱があるようです。彼はおでこに手を当てた。髪はもつれて、頭には帽子のあとが輪のようなかたちについていた。

どうです私は熱くありませんか？　と彼は訊いた。よくわからないな。どうも熱があるようなんですがね。彼はまだカーペットをじっと見ていた。アスピリンはお持ちではありませんか？

まったく冗談じゃないな、と僕は言った。こんなところで具合悪くなったりしないでくださいよ。こっちにはやることがあるんですからね。

彼は首を振った。彼はソファーに腰を下ろした。そして室内履きを履いた足でそのカーペットをこすった。

僕は台所に行ってカップを一つ洗い、瓶からアスピリンを二錠振って出した。

ほら、と僕は言った。これを飲んだら出て行ってくださいよね。

あなたはミセス・スレーターのかわりに口をきいておられるのかな？　彼は口から腹立たしげな音を出した。いやいや、今の言葉は忘れてください。今言ったことはなしです。彼は顔を拭いた。そしてアスピリンを飲んだ。彼の目は何もないがらんとした部屋をあちこちと眺めまわした。それからよっこらしょという感じで身を前に屈め、ケースのバックルをぱちんぱちんと外した。ケースはぱっくりと開いた。仕切りの中にはきちんと整理されたホースやら、ブラシやら、ぴかぴかのパイプやら、小さな車輪のついた重そうな青い何かの物体が収まっているのが見えた。彼はびっくりしたような顔でそれらのものをじっと見ていた。静かに、まるで教会の中で囁かれるような声で、彼は言った。これが何かわかりますか？

僕は近くに寄って見た。どうも電気掃除機みたいだな。僕はそんなものは買わないけれどね、と僕は言った。

ちょっとあなたにお見せしたいものがあるんです、と彼は言った。上着のポケットからカードを一枚取り出した。電気掃除機なんて買うつもりはまったくないな。これを見てください。彼はそのカードを僕に手渡した。誰もあなたに掃除機を売りつけようなんてしちゃいません。でもその署名を見てくださいよ。それはミセス・スレーターの署名じゃありませんか？

僕はカードを見た。それを明かりにかざした。僕はそいつを引っくり返してみた。でも裏側は白紙だった。それで？　と僕は言った。

ミセス・スレーターのカードは、いっぱいカードの入ったバスケットの中から引き当てられたんです。こういう小さなカードが何百枚と入っているんです。その中から無料の掃除機サービスとカーペット・シャンプーを引き当てられたんです。当選なすったんですよ。変な裏はありません。私はお宅のマットレスの掃除だってして差し上げようと思っておりますよ、ミスター……、とにかくきっとびっくりなさいますよ。何ヵ月か、何年かのあいだにこんなにもマットレスにいろんなものが溜まるのかってね。私たちの人生において、私たちは毎日毎晩、体の一部をちょっとずつ落としていくんです。ひとかけら、またひとかけらとね。それらは、そういった私たち自身の細かな断片はいったいどこに行くのでしょうか。シーツを抜けて、マットレスの中に入ってしまうんです。そうなんですよ。枕にもです。枕だって同様です。

彼はきらきら光る何本かのパイプを取り出し、すでに一つに組み立てていた。そして今はその固定されたパイプをホースに差し込んでいた。彼はもそもそ唸りながら、両膝をついていた。そして何か小さなシャベルに似たものをホースに取り付け、車輪のついた青いものを取り上げた。

彼は自分が今から使おうとしているフィルターを僕に調べさせた。

車はお持ちですかね、と彼は尋ねた。

車はない、と僕は言った。僕は車を持っていない。持ってたらあなたをどこかに送ってあげるんだけどね。

それは残念ですな、と彼は言った。この小さな真空掃除機には六十フィートの延長コードが付いているんです。もし車をお持ちだったら、あなたはこの小さな掃除機を車のところまで押して行って、エレガントな敷物やらゴージャスなリクライニング・シートやらを掃除できるんですがね。車の素敵なシートの中に、何年ものあいだに私たちがどれほど多くのものを失っているか、どれほど多くのものを貯めこんでいるかごらんになると、きっとびっくりなさいますよ。

ねえベルさん、と僕は言った。あなた荷物をまとめて引き上げた方がいいんじゃないかな。これは親切心で言ってるんですけどね。

でも彼はコンセントはどこかと部屋を眺めまわしていた。ソファーの端っこのところに彼はコンセントを一つみつけた。機械はまるで中におはじきでもはいっているみたいながたごとという音を立てた。たぶん中で何かがゆるんでいるのだろう。それからやがてそれも収まって低い唸りに落ち着いた。

リルケは成人してからはずっと、城から城へと移り住んでおりました。後援者たちがおったんですな、と彼は機械の唸りに負けないような大声で言った。彼は自動車というものにほとんど乗りませんでした。自動車よりは列車を好みました。マダム・シャトレとシレに住んでいたヴォルテールをごらんなさい。彼のデスマスク。その静謐《せいひつ》。

彼は僕がそれに反論するのを押さえるかのように右手を上げた。いやいや、そいつは嘘っぱちです。そうそうそのとおり。何もおっしゃるな。しかし誰もそんなこと知りゃしませんわ。そう言うと彼は振り返って、掃除機を引いて隣の部屋に向かった。

そこにはベッドが一つと窓が一つあった。布団は床の上に積み上げてあった。マットレスにはシーツが掛かり、その上に枕が載っていた。彼は枕のカバーを外し、それから手早くマットレスのシーツを剝いだ。彼はマットレスをじっと眺め、それからちらっと流し目で僕のことを見た。僕は台所に行って、椅子を一つ持ってきた。そして戸口に座って、見物した。まず最初に彼はシャベルを手のひらに当てて、吸引していることを確かめた。そして身を屈めて掃除機のダイヤルを調整した。こういった際には最高の出力にしなくてはいけないんですよ、と彼は言った。彼はもういちど吸引力をチェックしてからホースをベッドの頭の部分にまで延ばし、シャベルをマットレスに当てて動かした。そのシャベルはマットレスにぎゅっと吸いついた。掃除機の唸りが大きくなった。彼はマットレスの上を三回前後させてから、機械のスイッチを切った。彼がレバーを押すと、蓋がぽんと開いた。彼はフィルターを取り出した。このフィルターはデモンストレーション用に付いているんです。普段ご使用になる場合には、こういうのは、こういうやからはすっかり全部、袋の中に入ってしまいます。これですよ。彼はほこりのようなかたまりの一部を指でつまみあげた。それはカップ一杯分はあっただろう。

彼はほらねという感じの顔をしていた。

それは僕のマットレスじゃないんだ、と僕は言った。僕は椅子の上で前屈みになり、なんとか興味を示そうとした。

今度は枕です、と彼は言った。彼は使ったフィルターを窓の敷居に置き、ちょっと外を眺めた。それから振り向いた。枕のそっちの端を持っていただけますかね、と彼は言った。

僕は立ち上がって、枕の端っこを二つ持った。何かの耳をつかんで持っているみたいな感じだった。

こんな感じかな、と僕は言った。

彼は肯いた。そして隣の部屋に行って、新しいフィルターを取ってきた。

それは高いものなんですかね、と僕は尋ねた。

ただみたいなもんですよ、と彼は言った。ただの紙とプラスティックでできたものですからね、高価なわけありません。

彼は足で掃除機のスイッチを入れた。シャベルが枕にめりこみ、動きまわっているあいだ、僕はしっかりとそれを抑えていた。一回、二回、三回とそれは上下した。彼はスイッチを切り、フィルターを取り、何も言わずにそれを上にかざした。それを窓際に持っていって、前のフィルターの隣に並べた。それから彼はクローゼットの戸を開けた。そして中を覗きこんだが、そこには鼠駆除剤の箱が一つ入っているだけだった。

ポーチに足音が聞こえた。それから郵便受けのふたが開き、またかちゃんと閉まる音が聞こえた。我々は顔を見合わせた。

彼は掃除機を引っぱって隣の部屋に行き、僕はそのあとを追った。玄関のドアの横のカーペットの上に、表を下にして落ちている手紙を我々は眺めた。

僕は手紙の方に向かい、それから振り向いて彼に言った。まだあと何かあるんですか？　もうあまり時間がないんですよ。カーペットはわざわざ手間をかける代物じゃないしね。安売り店で買ってきた、裏にすべり止めのついているような縦横十二フィート、十五フィートのコットンのカーペットだしね。手の入れようもないですよ。

吸殻のたっぷり入った灰皿をお持ちじゃありませんか、と彼は言った。あるいは鉢植えの植物とかそういうのでもいいんですが。土くれみたいなのがちょっとあればいいんです。

僕は灰皿を持ってきた。彼はそれを受け取って中身をカーペットの上にこぼした。灰と吸殻を室内履きの底でごりごりとこすった。そしてまた両膝をついて、新しいフィルターを装着した。彼は上着を脱いで、それをソファーの上に放った。彼はわきの下に汗をかいていた。贅肉がベルトの上に垂れかかっていた。彼はシャベルを回して外し、別の器具をホースに取り付けた。そしてダイヤルを調整した。そして足で機械のスイッチを入れ、何度も何度もすりきれたカーペットの上を行き来した。二度ばかり僕は手紙を取りにいこうかと思った。でも彼は僕の思いを見透かして、そのホースやパイプやその清掃の動きによって、僕の行く手をさえぎっているみたいに感じられた。

僕は椅子をまた台所に持ってきて、そこに座って彼の仕事ぶりを見物した。ひとしきりあとで、彼は機械のスイッチを切り、蓋を開け、何も言わずにフィルターを僕の前に差し出した。それはほこりやら毛やら細かい砂みたいなものやらでぎっしりだった。僕はフィルターを見た。それから立ち上がって、ごみ箱の中に捨てた。

彼は今ではきちっきちっと作業に励んでいた。説明は一切しなかった。彼は緑の液体が五オンスか六オンス入った瓶を持って台所にやってきた。そしてその瓶を流しの水道の水でいっぱいにした。

ねえ、僕は一銭も払えないんですよ、と僕は言った。たとえそれに僕の命がかかっていたとしても、僕は一ドルだってあなたに払えないんだ。まったくの骨折り損ってことになりますよ。あなた、時間を無駄にしているだけですよ、と僕は言った。

僕は物事をはっきりさせておきたかったのだ。思惑違いなんていうのは困る。

彼は自分の仕事を続けた。彼はまた別のアタッチメントをホースにつけた。そして例の瓶を、何かややこしいやり方で新しいアタッチメントに懸けるようにして取り付けた。彼はゆっくりとカーペットの上を動きまわった。ときどきエメラルド色の液体をちょっと垂らし、カーペットの上で前後にブラシを動かし、泡の小さなかたまりを作っていった。

僕は気になっていたことを全部言ってしまった。僕は台所の椅子に座って、今ではすっかりリラックスし、彼の作業を眺めていた。時折、窓の外の雨を見た。外はもう暗くなりはじめていた。彼は掃除機のスイッチを切った。彼は玄関の近くの角のところにいた。

コーヒー飲みますか、と僕は尋ねた。

彼ははあはあと息をしていた。彼は顔の汗を拭った。

僕は水を火にかけた。それが沸騰し、僕がカップを二つ用意したときには、彼はもう何もかもをばらして、ケースにしまいこんでしまっていた。それから彼は手紙を拾いあげた。彼は封筒の宛名を読み、差出人のアドレスをしげしげと眺めた。その手紙を二つに折り、尻のポケットに突っ込んだ。僕は彼のことをじっと見ていた。ただそれだけ。コーヒーは冷めはじめていた。

ミスター・スレーター宛でしたよ、と彼は言った。これは私が処理しましょう。コーヒーは遠慮しますよ、と彼は言った。カーペットを踏んでそっちに行きたくないんですよ。今シャンプーしたばかりですからね。

それもそうだ、と僕は言った。それからこう言った、その手紙の宛先は確かなんですかね？

彼はソファーの方に手を延ばして上着を取り、それを着た。そして玄関のドアを開けた。まだ雨は降り続けていた。彼はオーバーシューズの中に足を入れ、紐を結んだ。それからレインコートを着て、振り向いて家の中を見た。

自分の目で見たいですか、と彼は言った。私の言うことは信じられない？

なんか変だなと思うけど、と僕は言った。

さあ、もう行かなくちゃ、と彼は言った。でも彼はまだじっとそこに立っていた。

あなた、掃除機はいらない？

僕はその大きなケースを見た。それはもう閉じられて、運べるようになっていた。

いや、いらないな、と僕は言った。僕はすぐにここを出て行くつもりでね。あっても邪魔になるだけだから。

なるほど、と彼は言って、そしてドアを閉めた。

サン・フランシスコで何をするの？

What Do You Do In San Francisco ?

これは私とは直接関係のない話だ。三人の子供のいる若い夫婦の話である。彼らは去年の夏の初めに、私の配達ルートにある家に越してきた。彼らのことを思い出したのは、この前の日曜日の新聞で警察に逮捕された若い男の写真を見たからだ。その男はサン・フランシスコで、野球のバットを使って妻とそのボーイフレンドを叩き殺したのだ。髭をはやしているせいで顔の感じが似ているものの、もちろん同一人物ではない。でも事情が似かよっていたせいで、私は即座に彼のことを思い出した。

ヘンリー・ロビンソンというのが私の名前である。郵便配達人、国家公務員のはしくれである。一九四七年以来その仕事を続けている。戦争中軍務に就いていた三年間を別にすれば、私は生まれてからずっと西部で暮らしてきた。二十年前に離婚し、その後二人の子供たちともほとんど会っていない。私はうわついた人間でもないし、また真面目一徹の人間というわけでもない。少なくとも自分ではそう思っている。今の時代においては人間はちょっと不真面目、ちょっと真面目という風にならざるをえないのだ、というのが私の信念である。そしてまた私は勤労の美徳というものを信奉している。それも一生懸命働けば働いただけのことはある。働かない人間は時間をもてあますし、時間をもてあますと、自分のことやら、自分の抱えた問題についてあれこれ考えすぎるようになる。

私が思うには、それがかつてここに住んでいたその若い男の問題点のひとつだった。彼は仕事を持っていなかった。しかしその責任の一端は彼女にもあった。あの女。彼女がそれを助長していたのだ。

ビート族、もしあんたが彼らの姿を見かけたらきっとそう呼んだだろう。男の方は顎に先の尖った茶色の髭を生やし、立派なディナーと食後の葉巻が欠かせないというような顔をしていた。女の方は長い黒髪で色白で、なかなかの美人だ。これは本当のところだ。でも彼女が妻として母として褒められたものではなかったということは心にとめておいてもらいたい。彼女は絵描きだった。その若い男が何をしていたのかは知らない。たぶん何か同じようなことをしていたのだろうと思う。二人とも職に就いてはいなかった。それでも彼らはとにかく家賃は払っていたし、どうにか生計も立てていた。少なくともその夏の間は。

最初に彼らの姿を見かけたのは、土曜日の朝の十一時か十一時十五分か、それくらいだった。私が彼らの住んでいるブロックを通ったのは、配達ルートのだいたい三分の二を片づけた頃だ。扉のあいた大きなレンタル・トレイラーが後ろに付いた56年型のフォードのセダンが庭に置いてあるのが見えた。パインには三軒しか家がなかったし、彼らの住居はそのいちばん奥にあった。その他には、マーチソン一家（彼らはアーケイタに来て一年足らずだった）とグラント一家（彼らは約二年住んでいた）がいた。マーチソンはシンプソン・レッドウッド製材所で働き、ジーン・グラントはデニーズで朝番のコックをしていた。その二軒の家があって、それから空き地がひとつあり、いちばんはずれに以前コール一家が住んでいた家があった。

その若い男は庭のトレイラーの後ろにいた。彼女は口に煙草をくわえて、玄関から出てきたところだった。女はぴったりとした白いジーンズをはいて、男物の下着の白いシャツを着ていた。彼女は私の姿を見るとそこに立ち止まり、私が道をやってくるのを眺めていた。私は彼らの郵便箱の前まで来ると歩く速度を緩め、女に向かって会釈した。

「もう落ち着きましたかね？」と私は尋ねた。

「もう少しで片づきそう」と彼女は言って、相変わらず煙草を吹かしながら、額にかかった髪の束を払った。

「それは結構」と私は言った。「アーケイタにようこそ」

そう言ってから私は少しきまりわるく感じた。何度かその女と口をきいたけれど、どうしてかはわからないのだが、いつも私はきまりわるく感じたものだった。私が最初からその女にあまり良い印象を抱かなかったのは、それも原因している。

彼女は私に向かってうっすらと笑いを浮かべていた。私が行きかけたときに、その若い男が――マーストンというのが彼の名前だった――トレイラーの裏からおもちゃのつまった段ボール箱を抱えて姿を見せた。そう、アーケイタは小さな田舎町というわけでもないが、かといって都会でもない。とはいえあえてどちらか選べと言われたら、小さい方をとらざるをえないだろう。アーケイタを地の果てと呼ぶことはもちろんできないが、大半の住人は製材所で働いているか、水産業に関係しているか、あるいはダウンタウンの店で仕事をしているかだ。そういうわけだからここの人々は、顎髭をのばしたり、職にも就かずにぶらぶらしているような人間を見慣れてはいないのだ。

「こんちは」と私は言った。彼がその段ボール箱を車の前部フェンダーの上に置いたときに、私は手を差し出した。「私、ヘンリー・ロビンソンっていいます。あんたがたはここに着いたばかりなんですか？」

「昨日の午後にね」と彼は言った。

「たいした道のりだったわよ。サン・フランシスコからここまで、なんと十四時間ですものね」女がポーチからそう声をかけた。「あのろくでもないトレイラーを引いてね」

「それはそれは」と言って私は首を振った。「サン・フランシスコからですか。私もこないだサン・フランシスコに行きましたよ。ええとあれは去年の四月か三月だったな」

「へえ、そうなの？」と彼女は言った。「サン・フランシスコで何をしたの？」

「いや、何をするっていうわけでもなくてね。年に一度か二度はあっちに行くんです。フィッシャーマンズ・ウォーフに行って、ジャイアンツの試合を見るんですよ。それだけです」

しばし沈黙があり、それからマーストンは草の中にある何かを爪先で探った。私はそろそろ引きあげようとした。まさにそのとき、子供たちが玄関のドアから飛び出してきて、わあわあとわめきながらポーチの先に向かって突進していった。網戸がばたんと音を立てて開いたとき、マーストンは文字通り宙に飛び上がりそうに見えた。でも女の方は腕組みをしたまま、とびっきりクールに構えていた。瞬きひとつしなかった。男の方は元気溌剌という感じでは全然なかった。何かをやろうとするたびに、身体がびくびくと細かくひきつった。そしてあの目だ。それは相手の顔に向けられ、それからすうっとどこかに移動し、やがてまた相手のところに戻った。

子供は全部で三人だった。四歳か五歳くらいの縮れた髪をした小さな女の子が二人と、そのあとをついてまわっているほんのちっちゃな男の子が一人。

「可愛いお子さんがたですねえ」と私は言った。「さて、私は仕事にかからなくちゃ。ところで郵便受けの名前はやはり新しくなさるんでしょうな」

「そうだね」と男が言った。「そう、明日かあさってにでもやってみようか。どのみち、当分のあいだ僕ら宛の郵便なんて来そうにないけれどね」

「そんなことわからないですよ」と私は言った。「このお馴染みの郵便配達袋に何が入ってくるかなんて、見当もつきませんからね。何事も備えあれば憂いなしって言うじゃありませんか」私はそこを立ち去ろうとした。「ところで、もし製材所の仕事を探しておられるのなら、シンプソン・レッドウッド製材所の誰に会いに行けばいいかお教えしますよ。私の友達があそこで職工長をやってるんです。たぶん彼に言えば何か仕事が……」私の言葉はだんだん小さくなっていった。というのは彼らは興味の片鱗も示さなかったからだ。
「いや、おかまいなく」と彼は言った。
「この人、仕事を探してるわけじゃないの」と女が口をはさんだ。
「そうですか。じゃあ失礼しますよ」
「じゃあ」とマーストンが言った。
女の方は何も言わなかった。

さっきも言ったように、それは土曜日のことだった。メモリアル・デイの前日の土曜日だった。月曜日が振替休日になったせいで、私が次にもう一度そこに立ち寄ったのは火曜日だった。前庭にまだトレイラーが置きっぱなしになっているのを目にしても、とくに驚きはしなかった。でも彼がまだそこから荷物を下ろしていないのを見て、私はびっくりしてしまった。見たところ、おおよそ四分の一くらいの荷物がフロント・ポーチにまで運ばれていた。カバーがかかった椅子や、クローム製の台所用の椅子や、洋服の詰まった大きな段ボール箱（上の蓋が取れてしまっている）なんかだった。あとの四分の一は既に家の中に運び入れられたのだろう。そしてあとの残りはまだトレイラーの中にあった。子供たちは小さな棒を持って、それでトレイラーの側面をがんがんと叩きながら、後部扉を登ったり下りたりしていた。彼らのパパとママの姿はどこにも見えなかった。

木曜日に私は男の姿をまた庭先で見かけた。そして彼に郵便受けの名前の書き換えのことを思い出させた。

「そうだね、そいつは何とかやっちまわなくちゃな」と彼は言った。

「まあそう急ぐこともないですよ」と私は言った。「新居に越したばかりのときには、やることは数限りなくあるからね。前ここに住んでいた人たちは、コールっていう一家で、あんたがたがやってくるたった二日前に出て行ったんですよ。ユウリーカで働くんだって言ってたな。水産狩猟局でね」

マーストンは髭を撫でた。何か別のことを考えているみたいに目はあらぬ方を向いていた。

「それではまた」と私は言った。

「じゃあ」と彼は言った。

かいつまんで言えば、彼は結局郵便受けの名前を書きなおしたりはしなかった。私はそのあと何度かそこ宛の郵便を持っていった。すると彼はこんなことを言ったものだ。「マーストン？　ああ、それは僕ら宛だな、マーストン……そろそろ郵便受けの名前も書きなおさなくちゃね。ペンキの缶を買ってきて、前の名前を塗りつぶして、コールって言ったっけね——その上に名前を書けばいいんだよな」そう言っているあいだ、彼の目はあっちこっちをさまよっていた。それから彼はちょっと横目で見るみたいに私を眺めて、一度か二度顎を縦に振った。でも彼は決して郵便受けの名前を書きなおしたりはしなかった。そのうちに私もあきらめて、気にしなくなった。

世間には噂が流布する。あの男は仮釈放中の元囚人で、サン・フランシスコの好ましくない環境から遠ざかるためにアーケイタに来ているんだという話を何度か耳にした。その話によれば、女は彼の女房だが、子供たちは三人とも彼の子供ではなかった。別の説によれば、彼は犯罪を犯して、ここで身をひそめているのだということだった。でもこの説はあまり多くの人には支持されなかった。彼は犯罪を犯すようなタイプの人間には見えなかったからだ。たいていの人々が信じたのは、少なくともいちばん広く流布したのは、なかでもいちばんおぞましいものだった。それは、あの女は麻薬中毒者で、それを治すために夫が彼女をここに連れてきたというものだった。その証拠として、サリー・ウィルソンがその家を訪問したときの話がいつも持ち出された。「新隣人歓迎会」のサリー・ウィルソンである。彼女はある日の午後、彼らの家を訪問して、そのあとでこう言ったのだ。嘘じゃないわよ、あそこには、とくにあの女には、何か変なところがあるわよ、と。あるときには、女はそこに座ってサリーの話を真剣に聞いていた（という風に見えた）のに、次の瞬間には、まだサリーが話しつづけているというのに、唐突に立ち上がって、まるで彼女なんかそこに存在しないという風情でキャンバスに向かって絵を描きはじめた。あるいはまた、女は子供たちを抱きしめたり、キスしたりしているかと思うと、それから突然、とくに理由もなく金切り声で子供たちを怒鳴りつけはじめるのだ。ねえ、なんといってもあの目の感じよ。近くに寄ってよく見てごらんなさいな。でもサリー・ウィルソンときたら、これまで何年もに渡って、「新隣人歓迎会」という名目をつけて他人のことをあれこれと嗅ぎまわっていた女だ。

「そんなことわかるもんか」そういう話が持ち出されるたびに私は言ったものだ。「あの男だって、そのうちに何か職をみつけて働きだすかもしれんだろうが」

とはいうものの、私だって彼らはたぶんサン・フランシスコで何かのトラブルに巻き込まれたんだろうと思った。どういう性質のトラブルかは知らない。でもとにかく彼らはそれと縁を切ろうと意を決したのだ。しかし、どうして落ち着く先にこのアーケイタを選んだのかまではわからない。なぜなら、彼らはどう見ても仕事を求めてここに来た風ではなかったからだ。

最初の数週間は、郵便らしい郵便は来なかった。シアーズとかウエスタン・オートとかその手のダイレクト・メイルが何通かというところだ。それから、だいたい週に一通か二通のわりあいで手紙が届いた。彼らのところに立ち寄るときに、彼らのどちらかの姿を見かけることもあったし、見かけないこともあった。でも子供たちはいつもそこにいた。走って家に入ったり出たりしていた。あるいは隣の空き地で遊んでいたりした。もちろんそれはもともとからしてモデル・ハウスというような代物ではなかったけれど、でも彼らが移り住んでまもなく、雑草はのび放題、それまで生えていたわずかな芝生も枯れてまっ黄色という有様になった。胸塞ぐ眺めだった。話によれば、ジェサップ老人が何度かそこに足を運んで、庭に水をまいてくれなくてはと申し入れたのだが、ホースを買う余裕なんてないと彼らは言った。それで老人は彼らのためにホースを一本置いていった。私は、子供たちが原っぱでそのホースを使って遊んでいるのを見かけた。それっきりだった。二度ばかり私は、小さな白いスポーツカーが彼らの家の前に停まっているのを目にした。それはこのあたりの車ではなかった。

一度だけ私はその女と関わりを持ったことがある。五セントの料金不足郵便があって、私はそれを持ってドアをノックした。小さな女の子の一人が私を中に入れ、走って母親を呼びにいった。家の中にはばらばらに寄せ集めた古い家具が散らばり、洋服がそこらじゅうに投げ捨てられていた。でも汚らしい感じはなかった。そりゃ小綺麗とはいえないだろうが、かといって不潔なわけではない。古いカウチと椅子のセットが、居間の壁際に置かれていた。窓の下には煉瓦と板で作った本棚があり、小型のペーパーバック本が雑然と詰まっていた。隅の方には、絵が裏向きにされて積み上げられていた。片方の側にはイーゼルが置かれ、絵が一枚シートを被せられたままそこに載っていた。

私は郵便袋を掛け変えながら、そこに立って待っていたのだが、ほどなく五セントくらい自分で払っておけばよかったと思いはじめた。待っているあいだ、私はイーゼルの方に目をやった。そっと忍び寄ってそこに掛かったシートを持ち上げてみようかと思いかけたときに足音が聞こえた。

「何か御用かしら」と彼女は廊下に姿を見せて言った。愛想がいいとはお世辞にも言えない。

私は帽子のひさしにちらっと手をやって言った。「すみませんが、五セントの料金不足の手紙が来ているものですから」

「ちょっと見せて。いったい誰からかしら？　まあジェルからじゃない。あのフーテンが。切手も貼らずに手紙出してくるなんてね。ねえリー！」と彼女は叫んだ。「ジェリーから手紙が来てるわよ」マーストンが姿を見せた。でも彼はあまり嬉しそうには見えなかった。私はそこで待ちながら、片足に重心を置き、それからもう片方に移した。

「五セントね」と女が言った。「払うわ。あのジェリーからみたいだから。はい、これ。じゃあ、さようなら」

物事はこんな具合に進行した。要するにで、た、ら、め、に進行したということなのだが。この辺の人間が彼らの存在に馴染んだとはとても言えない。彼らは簡単に馴染めるようなタイプの人間ではないのだ。でも少しすると、みんなは彼らのことをあまり気にとめなくなったようだった。人々は彼がスーパーでショッピング・カートを押しているのを見かければ、その髭をしげしげと眺めたりしたかもしれない。しかしその程度のものだった。噂ももうあまり聞かなくなった。

そしてある日、彼らは姿を消した。ふたつの別々の方角にだ。後日わかったことだが、まず女がその前の週に誰かと一緒に（男とだ）家を出て行った。そしてその数日後に夫の方は、自分の母親に子供たちを預けるために、レディングに向かった。木曜日から次の週の水曜日までの六日間というもの、彼らの郵便はずっと郵便受けに入ったままだった。シェードは下ろされたままだし、彼らが最終的に家を引き払ったのか、あるいはそうではないのか、誰もはっきりとは知らなかった。でもその水曜日に、フォードがまた庭に停まっているのに私は気づいた。シェードはまだすっかり下ろされたままだったが、郵便物はなくなっていた。

その翌日から、彼は郵便受けのところに出て、私が郵便を届けに来るのを待っているようになった。あるいはポーチの階段に腰を下ろし、煙草を吹かして待っていた。明らかに私を待っているのだ。私の姿が見えると、彼は立ち上がって、ズボンの尻を払い、郵便受けまでやってきた。もし私が彼宛の手紙を持っていたりすると、私がそれを手渡せるところに行く手前から、差出人の名前を読みとろうとした。我々はほとんど言葉を交わさなかった。たまたま目が合えば軽く会釈をする程度だったが、それもかなり稀なことだった。でも彼は苦しんでいたし、それは誰が見ても一目でわかった。できることなら、私だって彼を助けてやりたかった。でも何と言えばいいのだろう。

彼が戻ってきてから一週間かそこら過ぎたある朝のことだが、郵便受けの前を尻のポケットに両手を突っ込んで行ったり来たりしている彼の姿を私は見かけた。そして私は何かひとこと言わなくてはと心を決めた。どんなことを言えばいいのか見当もつかないが、とにかく何か言おうと思った。私が家に向かう道を歩いていったとき、彼はこちらに背中を向けていた。でも近づいていくと、彼は突然さっとこちらに向きなおった。その顔には私の口の中にあった言葉を凍りつかせるような表情が浮かんでいた。私は彼宛の郵便物を手にしたまま、その場に立ちすくんでしまった。彼は二歩ばかりこっちにやってきて、私は何も言わずにその郵便を渡した。彼はまるで唖然として声も出ないような感じでそれをじっと見ていた。

「居住者各位」と彼は言った。

それはロサンゼルスから送られてきた医療保険の郵便広告で、私は朝から少なくとも七十五通は同じものを配って歩いていた。彼はそれをふたつに折り、家の中に戻っていった。

翌日も彼はいつもと同じように外に出ていた。彼の顔つきは普通に戻っていた。昨日よりは落ち着きを取り戻していた。今回は私は、彼がずっと待ち続けていたものを自分が今手にしていると直感していた。私はその朝、局で郵便物の仕分けをしているときに、それをしっかりと見たのだ。まっ白な無地の封筒で、くるくるとした女文字で住所が書いてあった。その字が封筒のほとんどの部分を埋めていた。消印はポートランドで、差出人のところにはＪＤというイニシャルと、ポートランドの住所が書いてあった。

「お早う」と私は言って、手紙を差し出した。

彼は何も言わずに私の手からそれを取り、文字通り顔面蒼白になった。しばらくよろよろとして、手紙を光にかざしながら家の中に入っていった。

私は大きな声で呼びかけた、「ねえあんた、あの女はよくないよ。最初見かけたときからそれはわかっていたんだ。忘れちまうのがいちばんだ。職に就いて、女のことは忘れちまいなさい。仕事することのどこがいけないんだね？　私だってあんたと同じような目にあったが、仕事がそれを忘れさせてくれた。仕事、朝晩の仕事さ。そして戦争もあった。私がちょうど……」

以来、彼は外に出て私を待つことをやめた。そしてそのあと五日間しかそこに住んでいなかった。でも毎日私はちらっと彼の姿を見かけた。相変わらず私が来るのを待っているのだ。でも今では窓の後ろにいて、カーテン越しにこちらを見ていた。私が立ち去るまで外に出てこなかった。それから網戸の開く音が聞こえた。私が振り返って見ると、彼はとくに急いで郵便を取りにいく必要はないという顔をしていた。

最後に見かけたとき、彼は物静かにそこに休んでいるように見えた。カーテンは取り払われ、シェードは残らず上げられていた。そのとき私は思った。この男は荷物をまとめて出て行こうとしているのだと。でもその表情から、彼が今ではもう私を見張っていないことがわかった。彼は私の背後を、私の向こう側を見ていた。屋根の向こうを、樹木の向こうを、ずっと南の方を見ていた、ということかもしれない。私が家の前を通り過ぎたあとでも、そして歩道を先の方に歩いていったあとでも、相変わらず同じ方をじっと見つめていた。私は振り返ってみた。でも彼はまだそのまま窓辺にいた。そのときの印象がとても強かったので、私は後ろを向いて、彼が見ている方角を自分でも見てみないわけにはいかなかった。でも、いうまでもないことかもしれないけれど、私の目には特別なものは何も見えなかった。そこにあるものは、いつもと同じ樹木と山々と空だけだった。

その翌日、彼はいなくなっていた。彼は移転先の住所も残していかなかった。時折彼か、彼の奥さんか、あるいは二人宛の手紙なり郵便物なりが届く。もしそれが第一種郵便なら、一日保管してから差出人に送り返す。たいした手間じゃないし、べつに気にもならない。だいたいそれが私の仕事なのだ。そしていつも思うのだが、仕事を持っているというのは大切なことだ。

学生の妻

The Student's Wife

リルケの本の一節を読んで聞かせているうちに――リルケは彼が敬愛する詩人だった――彼女は彼の枕に頭を置いたまま眠ってしまった。彼は声を出して本を読むのが好きだった。また上手な読み手でもあった。自信にあふれたよく通る声は、あるときには低く沈み、またあるときには高まり、緊張に震えた。読んでいるあいだ彼は決してページから目を離さなかった。読むのを中断するのは、電気スタンドの上の煙草に手を延ばすときだけだった。その張りのある声は彼女を幻想の中にいざなっていった。壁に囲まれた都市をまさに出て行こうとするキャラバンと、長い衣を着た髭面の男たちの出てくる光景。彼女はしばらくのあいだ彼の声を聞いていた。それから目を閉じて、ゆっくりと意識を失っていった。

彼は声を出して読みつづけた。子供たちは何時間も前に眠ってしまっていた。家の外では、時折、濡れた道路を行く車のタイヤの音が聞こえた。ほどなく彼は本を下に置き、体をひねるようにして電気スタンドに手を延ばした。彼女はまるで何かに怯えたように突然目を覚ました。そして二度か三度、目をしばたかせた。彼にはそのまぶたが奇妙に黒く、ぼってりとしているように見えた。固定されたガラスのような瞳の上を、そのまぶたは上下していた。彼はじっと彼女の顔を見た。

「夢を見ていたのかい?」彼は尋ねた。

彼女は肯き、手を上げて、頭の両側につけたプラスティックのカーラーに指を触れた。明日は金曜日で、ウッドローン・アパートメントの四歳から七歳の子供たち全員の面倒をみる日だった。彼はずっと彼女を見つめていた。片肘をついて身をもたせかけ、同時にもう一方のあいた手で上掛けをまっすぐにしようとしていた。彼女はつるりとした肌の顔をして、頰骨が立派だった。この頰骨はネズパース・インディアンの血が四分の一混じっている父親譲りのものなのよ、とときどき彼女は友達に向かって主張した。

それから彼女はこう言った、「ねえマイク、私にサンドイッチでも作ってくれない? バターを塗ったパンに塩をふったレタスをはさんで」

彼は何もしなかったし、何も言わなかった。彼としては眠りたかったのだ。でも目を開けたとき、妻はまだ起きて、じっと彼のことを見ていた。

「もう寝た方がいいんじゃないのか、ナン?」と彼はひどく重々しい声で言った。

「それにしても遅いんだぜ」

「まず何か食べたいのよ」と彼女は言った。「どういうわけか脚と腕が痛むの。それにおなかがぺこぺこ」

彼は大仰に唸って、ころげるようにベッドを出た。

彼は彼女のためにサンドイッチを作り、皿に載せて持ってきた。彼が寝室に入って

くると、彼女はベッドの上に身を起こしてにっこりとした。それから枕を背中の後ろ

にまわして、皿を受け取った。まるで白いナイトガウンを着た入院患者みたいな格好

だなと彼は思った。

「まったくなんて変な夢を見たのかしら」と彼女は言った。

「どんな夢を見ていたんだい？」彼はベッドにもぐりこみ、彼女に背を向けて横向き

になった。そして電気スタンドを見ながら話を待っていた。それからゆっくりと目を

閉じた。

「あなた本当に聞きたいの？」と彼女が尋ねた。

「もちろん」と彼は言った。

彼女は気持ちよさそうに枕の上に身を戻し、唇についたパン屑をつまんだ。

「つまりねえ、それは本当に果てしなく続くんじゃないかというような長い長い夢な

のよ。そういうのってあるでしょう、何もかもが繋がっていて、それがみんなそれぞれに進行していくようなやつ。でも今ではもう全部は思い出せない。目が覚めたときには隅々まですごくくっきりと思い出せたのよ。でもどんどん霞んでいってしまっている。私いったいどれくらいの時間眠っていたのかしらね、マイク？　そんなことまあ大した問題じゃないと思うんだけど。とにかく、夢の中で私たちはどこかに泊まりに来たみたいなのよ。子供たちをどこに置いてきたのかはわからないんだけれど、私たちは二人きりで、小さなホテルみたいなところにいるの。そのホテルはどこかの見覚えのない湖のほとりにあるの。私たちの他にもう一組、年上の夫婦がいて、自分たちのモーターボートに私たちを乗せたがっているわけ」彼女はそのことを思い出して笑い、前屈みになって枕から体を浮かせた。「その次に思い出せるのは、私たちがはしけにいるところ。そのときになってわかったんだけれど、ボートには座席がひとつしかないの。ベンチみたいなのが前の方にひとつあるだけ。そこには三人しか座れないの。あなたと私はどっちが犠牲になって、後ろの狭いところにしゃがみこんでいるかで言い争いを始めるの。あなたは自分がそうするっていうし、私は自分がそうするっていうの。でも結局私がボートの後ろに体を詰め込むことになるの。そこはすごく狭いんで、脚が痛むの。そして両側から水が入ってくるんじゃないかってすごい不安になるのよ。というところで目が覚めたの」

「そいつはなかなかの夢だな」と彼はなんとか感想のようなものを口にした。そして眠くて頭がぼうっとしてはいたのだが、何かもうちょっと別のことを言わなくっちゃなあと思った。「ボニー・トラヴィスのことを覚えている？　フレッド・トラヴィスの奥さんだよ。彼女が言ってたな、カラーつきの夢をよく見たって」

彼女は手に持ったサンドイッチを見て、それを齧った。食べ終えると、唇の裏に舌を這わせ、膝の上にバランスよく皿を載せて手を後ろに回し、へこんだ枕をふくらませた。それからにっこりと笑って、また枕にもたれかかった。

「ねえマイク、私たちがティルトン川のほとりに泊まったときのことを覚えている？　ある朝にあなたが大きな魚を釣りあげて」彼女は彼の肩に手を置いた。「あなた、覚えてる？」と彼女は言った。

彼女は覚えていた。もう長いあいだそんなことろくに考えたこともなかったのに、最近になってよくそのときのことを思い出した。結婚して一ヵ月か二ヵ月経った頃のことだが、二人は週末に旅行をした。その夜、二人は小さなキャンプ・ファイアのそばに座っていた。凍るように冷たい川の水で西瓜を冷やし、彼女はハムと卵と缶詰の豆を夕食に炒め、朝食には同じ黒くなったフライパンでパンケーキとハムと卵を料理した。彼女は夕食のときにも朝食のときにも、フライパンを焦がしてしまった。そしてコーヒーを沸かそうにも沸騰させることができなかった。でもそれは二人にとっての最も素晴らしい日々のひとつだった。彼女は覚えていた、彼がその夜にもやはり朗読をしてくれたことを。エリザベス・ブラウニングと『ルバイヤート』の中の詩をいくつかだ。彼らはものすごくたくさん布団を掛けて寝たので、そのあまりの重さに彼女は脚を動かすことさえままならなかった。その翌朝、大きな鱒が彼の竿にかかった。人々は向かい側の川辺に車を停めて、彼がそれを引き寄せるのを見物した。

「ねえ、あなたあのときのことを覚えているの、いないの?」と彼女は言って、彼の肩をとんとんと叩いた。「ねえ、マイクったら?」

「覚えているさ」と彼は言った。目を開け、横向きになったまま体の重心を移動させた。そんなにはっきりとは覚えていないな、と彼は思った。覚えているのは、すごく丹念に櫛を入れられた髪と、人生と芸術に対して声高に語られる生煮えの考え方だけだった。そして彼としてはそんなことは思い出したくもなかった。

「大昔のことだからな、ナン」彼は言った。

「私たち、高校を出たばかりだったわ。あなたはまだ大学に入っていなかったし」と彼女は言った。

彼は待った。それから腕をついて起き上がり、肩越しに振り返って彼女を見た。

「サンドイッチはもう食べ終わったのかい？」彼女はベッドの上でまだ身を起こしていた。

彼女は肯いて彼に皿を渡した。

「じゃあ明かりを消すよ」と彼は言った。

「どうぞ」と彼女は言った。

彼はまたベッドにもぐりこみ、彼女の足に触れるところまで足をぐっと延ばした。しばらくじっと横になって、リラックスしようと努めた。

「マイク、あなた寝てないんでしょう？」

「寝てない」と彼は言った。「全然寝てない」

「ねえ、先に寝ちゃわないでね」と彼女は言った。「私、ひとりで起きていたくないのよ」

彼はそれには返事をしなかったが、横を向いたまま少しだけ彼女の方ににじり寄った。彼女が腕を彼の体に回して、手のひらをぺったりと彼の胸に置くと、彼はその指を取って軽く握った。しかしやがて彼の手はベッドにすとんと落ちた。そして彼は溜め息をついた。

「ねえマイク、私の脚をさすってくれない？　脚が痛いのよ」と彼女は言った。

「おいおい」と彼は静かな声で言った。「僕はもうしっかり眠っていたんだぞ」

「でもあなたに脚をさすって、話をしていてほしいのよ。肩も痛むんだけど、でもとくに脚が痛いの」

彼は体の向きを変えて、彼女の両脚をさすりはじめた。でもやがて片手を彼女の腰に置いたまま眠りこんでしまった。

「マイク？」

「なんだい、ナン？　言ってごらん、何だよ？」

「そこらじゅうもっとさすってほしいのよ」と彼女は言って、仰向けになった。「今夜は脚と腕がどっちも痛いのよ」彼女は両膝を立てて、掛け布団を塔のようなかたちに持ち上げた。

彼は暗闇のなかで薄く目を開け、それから閉じた。「だんだん痛くなってくるのか、うん？」

「ええ、そうなの」と彼女は足の指をもぞもぞと動かし、彼を眠りからひきずりだせたことを喜びながら言った。「十か十一の頃、私はもう今くらい大きかったの。その頃の私を見せてあげたかったわ。その当時、私はあまりにも急速に成長したんで、私の手足はいつもいつも痛んでいたわ。あなたにはそういうことってなかった?」

「何がなかったって?」

「あなた、自分が成長していくのを感じなかった?」

「そういう記憶はないな」と彼は言った。

ついに彼は肘をついて身を起こし、マッチを擦って時計に目をやった。そして枕を冷やっとしたほうに引っくり返し、そこにもう一度頭を載せた。

彼女は言った、「ねえマイク、寝てるのね。もっとお話ししてくれると嬉しいんだけどな」

「いいとも」と彼は身動きせずに言った。

「私を抱いて、寝つかせてちょうだいよ。私、眠れないの」と彼女は言った。

彼は体の向きを変えて、彼女が横を向いて壁に顔を向けると、その肩に手を回した。

「マイク?」

彼は爪先でとんとんと彼女の足を叩いた。

「あなたの好きなもの、嫌いなものを片っぱしからあげてみてくれない?」

「今はそんなことわかんないよ」と彼は言った。「君が言えばいいじゃないか」

「あなたがあとで教えてくれるって約束したらね。約束よ」

彼はまた彼女の足をとんとんと叩いた。

「そうねえ……」と彼女は言って、楽しそうに仰向けになった。「私、おいしい食べ物が好きよ。ステーキ、ハッシュ・ブラウンのポテトなんてもの。素敵な本と、素敵な雑誌。夜汽車で旅をすること。飛行機に乗っている時間」彼女は話すのをやめた。「もちろんこういうのは好きな順番に並べているわけじゃないわよ。好きな順に並べるんだったら、もっと綿密に考えなくっちゃね。でも私好きなのよ。飛行機に乗って飛ぶことがね。地上を離れるときにね、何が起ころうとそれはそれでいいじゃないかという気持ちになる瞬間があるのよ」彼女は彼の足首の上に脚を載せた。「私、夜更しして起きていて、あくる朝ベッドの中でぐずぐずしているのが好き。たまにではなく、しょっちゅうそういうことをしていられたらなあって思うわ。それからセックスするのも好きだわ。ときどき予想もしていないようなときに、ちょっと触られたりするのも好きよ。映画を見に行って、そのあとで友達とビールを飲むのも好きだな。友達がいるっていうのもいいことよ。私、ジャニス・ヘンドリックスのことがすごく好きなの。少なくとも週に一回くらいは踊りにいけるといいわね。いつも素敵な服を持っていたいわ。子供たちがきちんとした服を必要としているときには、その場ですぐに与えてやりたいと思う。とりあえずローリーはイースターのための晴れ着が要るのよ。ゲイリーにだって小さなスーツみたいなのを買ってやりたい。そろそろそういう年齢ですものね。あなたにも新しいスーツを買ってあげたいわ。だってあなたの方がゲイリーよりはスーツを必要としているんだものね。自分の家だってほしい。一年おきだか、二年おきだかに引っ越しするのはもうやめにしたいの」と彼女は言った。「そして何よりも、私もあなたも、お金や請求書やそんなつまらないことをいちいち気にせずに、素敵なまっとうな人生を送れたらいいなと思うの。あなた寝てるのね」

「寝てないよ」と彼は言った。

「私、それ以外のことを考えられないのよ。さあ、あなたのを教えて。あなたが何を好きなのか言ってちょうだいよ」

「よくわからないな。いろんなことが好きだよ」と彼はもぞもぞとした声で言った。

「じゃあそれを教えてよ。ただ言ってみるだけなんだから、ね？」

「少し僕のことを放っておいてくれないかな、ナン」彼はベッドの自分の側にまた寝返りをうって、腕をベッドの外にだらんと垂らした。彼女も体の向きを変えて、彼の体にぴたりとくっついた。

「ねえマイク？」

「まったくもう」と彼は言った。それからこう言った。「わかったよ。ちょっと足をゆっくりと延ばさせてくれよ。それからちゃんと起きるからさ」

少しして彼女は言った、「マイク？　あなた寝てる？」彼の肩をそっと揺すってみた。でも反応はなかった。彼女はしばらくのあいだ彼の体にくっつくように身を丸め、眠ろうと努力した。最初のうち、彼女は身動きひとつせず、彼の体に自分の体を押しつけ、とても静かな、乱れのない呼吸を続けていた。でもやはり眠ることができなかった。

彼女は彼の呼吸を聞くまいとした。でもそれはだんだん彼女を落ち着かなくさせていった。彼が呼吸をすると、その鼻の奥から耳障りな音が聞こえてきた。彼が息を吸ったり吐いたりするのに、自分の呼吸を合わせようとしてみた。でもそれは役には立たなかった。彼の鼻の中の小さな音が何もかもをだいなしにしてしまうのだ。そして彼の胸の中からも、何かがからまったようなきしみが聞こえた。彼女はまた寝返りをうち、尻を彼の体に押しつけ、片腕をベッドの端の方に延ばし、用心しながら指先を冷たい壁につけた。ベッドの足もとでは掛け布団がずりあがっていた。脚を動かすと、すきま風が感じられた。アパートの隣の部屋の人が二人で階段を登ってくる音が聞こえた。ドアを開ける前に一人が太く低い声で笑った。そして椅子を引く音が聞こえた。彼女はまた寝返りをうった。便所の水が流され、そのあとでまた流された。もう一度彼女は寝返りをうち、今度は仰向けになった。そしてリラックスしようと努めた。彼女は前に雑誌で読んだことのある記事を思い出した。体の中にあるすべての骨と筋肉と関節とがみんな一緒になって完全にリラックスしていたなら、眠りはすんなりと訪れるというものだった。彼女は長く息を吸い込み、目を閉じ、静かに横になり、両腕を延ばして体の脇につけた。リラックスしなくちゃと彼女は思った。彼女は自分の脚が吊るされて、何かガーゼのようなものに包まれているんだと想像してみた。彼女は腹這いになった。目を閉じ、それから目を開けた。自分の唇の前で丸まってシーツの上にある手の指のことを思った。彼女は指を一本上げ、それをまたシーツの上におろした。薬指にはまった結婚指輪を親指で触った。横向きになり、それからまた仰向けになった。やがて彼女はだんだん不安になってきた。ほとんどいたたまれないような気持ちになって、眠らせてほしいと祈った。

お願いです、神様、私を眠らせてください。

彼女は眠ろうと試みた。

「マイク」と彼女は囁くように言った。

返事はなかった。

子供たちの一人が隣の部屋でベッドの中で寝返りをうち、壁にどんとぶつかるのが聞こえた。彼女はじっと耳を澄ませたが、それ以上は何も聞こえなかった。自分の左の乳房の下に手を当てると、心臓の鼓動がぴくぴくと盛り上がるのが指に感じられた。彼女はうつ伏せになって泣きはじめた。頭は枕から落ち、口はシーツにつけられていた。彼女は泣いた。そしてベッドの足もとから床におりた。

バスルームに行って顔と手を洗った。歯を磨いた。歯を磨いてから、鏡の中の自分の顔をじっと見た。居間に入って、暖房の温度を上げた。それから台所のテーブルの前に座り、ナイトガウンの下に脚を曲げて入れた。彼女はまた泣いた。テーブルの上にあった煙草を一本取って火をつけた。少しあとで寝室に戻ってローブを着た。

彼女は子供たちの部屋を覗いてみた。息子の肩に布団を掛けてやった。それから居間に戻って、大きな椅子に腰を下ろした。雑誌のページを繰って、それを読もうとした。写真を眺め、また文章に戻った。外の道路を時折車が通りすぎると、彼女は顔を上げた。車が通り過ぎるたびに、じっと耳を澄ませた。それからまた雑誌に目を戻した。大きな椅子の横のラックにはたくさんの雑誌が入っていた。彼女はそれをひととおり全部ぱらぱらとめくってみた。

外が明るくなりはじめると、彼女は立ち上がった。そして窓のところまで歩いていった。丘の上の空が白みを帯びていった。空には雲ひとつなかった。じっと見ているうちに、樹木や、通りの向かいに並んだ二階建てのアパートメント・ハウスなんかのかたちがだんだん浮かびあがっていった。空はますます白くなり、丘の背後からこぼれる光が急速に広がっていった。子供たちのどちらかと一緒に起きていたときを別にすれば（彼女はそれは勘定にいれなかった。というのは、そういうとき彼女は外なんか見なかったし、ベッドか台所に急いで戻っていっただけだから）、これまでの人生で夜明けなんてほとんど見たことがなかったし、それもまだ幼かった頃に見ただけだった。でも彼女の覚えている夜明けというのはこれとはまったく違うものだった。彼女が見たどんな写真にも、彼女が読んだどんな本にも、夜明けというのがこんなにたまらないものだとは描写していなかった。

彼女はしばらくじっとしていたが、やがてドアのところに行って鍵を開け、ポーチに出た。ローブの襟元をしっかり合わせた。空気は冷たく湿っていた。ゆっくりとゆっくりと、まわりのいろんなものがはっきりと目に見えるようになっていった。彼女はあちこちと眺めていたが、やがてその視線は向かい側の丘の上に建ったラジオ塔のてっぺんの赤く点滅するライトに固定された。

彼女はまだほの暗いアパートの部屋を通り抜け、寝室に戻った。夫はベッドの真ん中に身を丸めて眠っていた。掛け布団は肩の上までずり上がっていた。頭は半分ばかり枕の下に突っ込まれていた。手のつけようがないくらい深く眠り込んでいる。腕はベッドの彼女の側にだらんと延びて、顎は歯を固くくいしばっていた。彼女が眺めているうちに、部屋はどんどん明るくなっていった。シーツのくぐもった白が彼女の目の前で急速に艶をましていった。

彼女はねばついた音を立てて自分の唇をなめた。そしてひざまずいた。両手をベッドの上に置いた。

「神様」と彼女は言った。「神様、私たちをお助けください。お願いです」と彼女は言った。

本書は『頼むから静かにしてくれ』（レイモンド・カーヴァー全集 第一巻、一九九一年二月中央公論社刊）収録の作品のうち、前半十三篇を収録したものです。ライブラリー版刊行にあたり訳文を部分的に改めました。なお『そいつらはお前の亭主じゃない』は全集収録時の『ダイエット騒動』を改題したものです。

（編集部）

装幀・カバー写真　和田　誠

村上春樹《むらかみはるき》 翻訳《ほんやく》ライブラリー

頼《たの》むから静《しず》かにしてくれ I

2006年 1月10日　初版発行
2023年 3月25日　7版発行

編訳者　村上《むらかみ》　春樹《はるき》
著　者　レイモンド・カーヴァー
発行者　安部　順一
発行所　中央公論新社
〒100-8152 東京都千代田区大手町 1-7-1
電話　販売部 03(5299)1730
　　　編集部 03(5299)1890
URL https://www.chuko.co.jp/

印　刷　三晃印刷　　　製　本　小泉製本

Published by CHUOKORON-SHINSHA, INC.
Printed in Japan　ISBN978-4-12-403495-0 C0097
定価はカバーに表示してあります。
落丁本・乱丁本はお手数ですが小社販売部宛お送り下さい。
送料小社負担にてお取り替えいたします。

村上春樹 翻訳ライブラリー 好評既刊

レイモンド・カーヴァー著
頼むから静かにしてくれ Ⅰ・Ⅱ〔短篇集〕
愛について語るときに我々の語ること〔短篇集〕
大聖堂〔短篇集〕
ファイアズ〔短篇・詩・エッセイ〕
水と水とが出会うところ〔詩集〕
ウルトラマリン〔詩集〕
象〔短篇集〕
滝への新しい小径〔詩集〕
英雄を謳うまい〔短篇・詩・エッセイ〕
必要になったら電話をかけて〔未発表短篇集〕
ビギナーズ〔完全オリジナルテキスト版短篇集〕

スコット・フィッツジェラルド著
マイ・ロスト・シティー〔短篇集〕
グレート・ギャツビー〔長篇〕＊新装版発売中
ザ・スコット・フィッツジェラルド・ブック〔短篇とエッセイ〕
バビロンに帰る ザ・スコット・フィッツジェラルド・ブック２〔短篇とエッセイ〕
冬の夢〔短篇集〕

ジョン・アーヴィング著 熊を放つ 上下〔長篇〕

マーク・ストランド著 犬の人生〔短篇集〕

C・D・B・ブライアン著 偉大なるデスリフ〔長篇〕

ポール・セロー著 ワールズ・エンド（世界の果て）〔短篇集〕

サム・ハルパート編
私たちがレイモンド・カーヴァーについて語ること〔インタビュー集〕

村上春樹編訳
月曜日は最悪だとみんなは言うけれど〔短篇とエッセイ〕
バースデイ・ストーリーズ〔アンソロジー〕
私たちの隣人、レイモンド・カーヴァー〔エッセイ集〕
村上ソングズ〔訳詞とエッセイ〕